1ª edição
Santo André, SP - 2020

Geográfica
editora

Título original
*The Busy Mom's Book of Inspiration*

This book was first published in the United State by Worth Publishing,
One Franklin Park, 6100 Tower Circle, Suite 210, Franklin, TN 37067.
With the tittle *The Busy Mom's Book of Inspiration by* Worthy Inspired copyright © 2014

**Editor responsável**
*Marcos Simas*

**Supervisão editorial**
*Maria Fernanda Vigon*

**Tradução**
*Julia Ramalho*

**Preparação de texto**
*Carlos Fernandes*

**Diagramação**
*Clara Simas*

**Capa**
*Wellington Carvalho*

**Revisão**
*João Rodrigues Ferreira*
*Carlos Buczynski*
*Nataniel dos Santos Gomes*
*Angela Baptista*

Todas as citações bíblicas foram extraídas da NVI, Nova Versão Internacional, da Sociedade Bíblica Internacional. Copyright © 2001, salvo indicação em contrário.


Qualquer comentário ou dúvidas sobre este produto escreva para:
*produtos@geografica.com.br*

M294 Manual de mães ocupadas: um devocional para alimentar seu amor materno e renovar o seu espírito / Traduzido por Julia Ramalho. – Santo André: Geográfica, 2018.

254p. ; 12x17cm.
ISBN 978-85-8064-241-4
Título original: The busy mom's book of inspiration.

1. Devoção. 2. Vida cristã. 3. Organização da vida. 4. Maternidade. I. Ramalho, Julia.

CDU 248.152

Catalogação na publicação: Leandro Augusto dos Santos Lima – CRB 10/1273

*Seus filhos se levantam e a elogiam.*

—

*Provérbios 31.28*

# *Uma mensagem para as mães ocupadas*

Uma vez que está lendo este livro, você, provavelmente, responde ao nome "mãe", "mamãe" ou até "mama", assim como a qualquer outra variação — se este for o caso, parabéns! Ao tornar-se mãe, você foi abençoada por seus filhos e por Deus.

Talvez você tenha ganhado este livro de presente de alguma amiga ou de seu marido. Ou então, mesmo em meio a toda a agitação e aos compromissos do dia a dia, você o tenha comprado por vontade própria. De qualquer maneira, será abençoada se guardar em seu coração as promessas presentes nestas páginas.

Esta coleção de devocionais rápidos e de fácil leitura foi preparada para oferecer esperança e nos lembrar o cuidado de Deus sobre a nossa vida. Você é importante para ele!

A maternidade é tanto um dom inestimável de Deus quanto uma responsabilidade intransferível. Encontrar alguns momentos "extras" para ler um livro pode parecer quase impossível durante essa fase de sua vida. Porém, não se preocupe; não existem regras para esta leitura. O propósito deste livro é lembrar-lhe que, quando se trata da difícil tarefa de ser uma mãe responsável, você e Deus, trabalhando juntos, serão capazes de fazer grandes coisas para os seus filhos — e para o mundo.

# *O amor de mãe*

*Seus filhos se levantam e a elogiam.*

*Provérbios 31.28*

Poucas coisas na vida são tão preciosas e fortes quanto o amor de uma mãe. Desde o momento em que segurou o seu primogênito nos braços, você soube que, de alguma maneira, havia recebido a capacidade sobrenatural para amar incondicionalmente. Foi algo que simplesmente aconteceu. E o detalhe é que essa capacidade também não diminui com o nascimento de outros filhos; ela se multiplica.

Cristo mostrou o seu amor por nós na cruz e, como cristãos, nós somos chamadas a retribuir esse amor, compartilhando-o com as pessoas. Às vezes, o amor é fácil (pense em filhotes de cachorro fofinhos e crianças adormecidas); noutras ocasiões, é difícil (lembre-se da perda de confiança e de adolescentes rebeldes). No entanto, a Palavra de Deus é clara: Nós devemos amar a nossa família e o nosso próximo sem reservas ou condições.

Como mãe amorosa, você não está apenas moldando a vida dos seus entes queridos, mas está, também — e em um sentido bastante real —, remodelando a eternidade. Trata-se de um grande trabalho; na verdade, um trabalho tão grande que Deus escolheu confiá-lo a uma das pessoas mais importantes de seu Reino: uma mãe amorosa como você.

O amor é parecido com as nuvens que enchem
o céu antes de o sol sair. Não podemos tocá-las; no
entanto, sentimos a chuva e sabemos como as flores e
a terra sedenta se alegram com a sua chegada, depois
de um dia quente. Também não podemos tocar o amor;
porém sentimos a doçura que é derramada por
ele sobre todas as coisas.

—

*Annie Sullivan*

## *Dicas para mães ocupadas*

*Use a imaginação. Existem muitas maneiras de dizer "Eu te amo". Pois, então, encontre-as! Coloque bilhetes de amor dentro das lancheiras e sobre o travesseiro; dê muitos abraços; ria, brinque e ore de todo o seu coração. Lembre-se de que o amor é altamente contagioso e de que a sua tarefa, como mãe, é assegurar que seus filhos sejam contagiados por ele.*

— — — — — — — — —

*Alegre-se quando seus filhos tiverem êxito e preocupe-se quando eles encontrarem dificuldades; entretanto, a sua felicidade pessoal não deve depender daquilo que acontece na vida deles. Isso seria muita pressão para qualquer pessoa, especialmente para uma criança. Ame-os e cuide deles, mas não os transforme no centro do universo.*[1]

*iMOM.com*

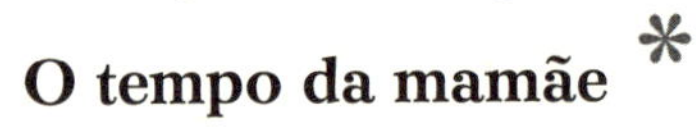

# O tempo da mamãe

*Quais são algumas das coisas que você faz para mostrar aos seus filhos o quanto você os ama?*

Capítulo 2

# *Prioridades*

*Não terás outros deuses além de mim.*

*Êxodo 20.3*

Não há tempo suficiente em um dia para fazer tudo o que precisamos fazer. É preciso priorizar aquilo que é absolutamente necessário e abrir mão de listas de afazeres fora da realidade, que só servem para fazer com que nos sintamos derrotadas no fim do dia. Afinal, nossa maior prioridade é — e deve sempre ser — dar graças ao nosso Criador.

Quer você seja uma pessoa que funciona melhor pela manhã ou daquelas que são mais produtivas à noite, dar graças pode ser tão natural quanto sussurrar: “Obrigada, Jesus, pelo meu filho. Por favor, dá-me a força necessária para cumprir os teus planos para a minha vida.”

Ao refletir sobre a natureza do seu relacionamento com Deus, lembre-se disto: você sempre terá algum tipo de relacionamento com ele. É inevitável que a sua vida seja baseada em relacionamentos com o Senhor. A questão não é se você terá uma relação com ele; a questão fundamental é se esse relacionamento terá como prioridade honrá-lo... ou não.

Você está disposta a colocar Deus em primeiro lugar na sua vida? No seu dia? Felizmente, o Senhor está sempre disponível. Ele está sempre pronto para ouvir e perdoar e está esperando para ouvir a sua oração neste momento. Portanto, compartilhe com ele aquilo que está em seu coração. Deus já sabe todas as coisas; no entanto, ele gosta de ouvir o que temos a dizer.

O nosso maior objetivo na vida não é termos saúde, riquezas, prosperidade ou sermos livres de problemas. O nosso maior objetivo na vida é glorificar a Deus.

—

*Anne Graham Lotz*

## *Dicas para mães ocupadas*

*Qualquer relacionamento que não honra a Deus é um relacionamento destinado a enfrentar problemas em breve (Hebreus 12.2). Portanto, fortaleça o seu relacionamento com o Criador e peça a orientação divina para construir laços mais fortes com seu marido e com os seus filhos.*

— — — — — — — — —

*O segredo para a organização é identificar o que é prioridade e o que pode esperar. Especialistas sugerem que as listas de afazeres sejam divididas em três seções: as coisas que precisam ser resolvidas imediatamente; aquelas que podem ser resolvidas em qualquer dia da semana; e as que fazem parte de um projeto em andamento ou de longo prazo.*[2]

*Parents.com*

## O tempo da mamãe

*Quais são alguns exemplos de coisas que você pode fazer com seus filhos para agradecer a Deus?*

Capítulo 3

# *Ocupada demais?*

*Venham a mim, todos os que estão cansados e sobrecarregados, e eu darei descanso a vocês. Tomem sobre vocês o meu jugo e aprendam de mim, pois sou manso e humilde de coração, e vocês encontrarão descanso para as suas almas. Pois o meu jugo é suave e o meu fardo é leve.*

*Mateus 11.28-30*

Tarefas e responsabilidades intermináveis... É isso que as mães ocupadas enfrentam todos os dias. Você pode, até mesmo, estar pensando neste exato segundo sobre o próximo item da sua agenda, imaginando se conseguirá realizá-lo. A maternidade é tão exigente que, às vezes, você pode sentir que não sobra tempo para si mesma — muito menos para Deus.

O ritmo agitado da vida tem roubado a sua paz? Se assim

for, então você está se ocupando demais. Por meio de seu Filho Jesus Deus nos oferece uma paz que excede todo o entendimento humano. No entanto, ele não forçará a sua paz sobre nós. Se quisermos experimentá-la, devemos desacelerar por tempo suficiente para sermos capazes de sentir a sua presença e o seu amor.

Hoje, como um presente para você mesma e para a sua família, procure um lugar confortável em sua casa e desfrute de uma xícara de café ou de chá bem quente (e não caia na tentação de começar a limpar a mesinha de centro!). Faça uma pausa por tempo suficiente para usufruir da paz interior que seu Deus deseja lhe dar: a paz de Jesus Cristo. Ela é oferecida livremente e já foi totalmente paga; logo, tudo o que você precisa fazer é pedir. Então, peça. E, depois, compartilhe-a com as pessoas.

Em nossa sociedade tensa e estressada, onde as pessoas se apressam entre um compromisso e outro, elas já perderam aquilo que é importante.
Uma boa risada pode ser tão refrescante quanto um copo de água gelada no meio do deserto.

—

*Barbara Johnson*

## *Uma dica para mães ocupadas*

**Eu estou aproveitando a jornada.** *Todos os dias, separo alguns minutos para lembrar a mim mesma que estes anos não durarão para sempre e que devo saborear cada segundo ao lado dos meus filhos. Isso parece estar funcionando para mim. Na semana passada, abri mão de todas as tarefas que eu precisava realizar e fui ao cinema com o meu filho. Na mesma noite, minha filha e eu participamos de uma briga de cócegas que quase nos fez colocar o almoço para fora. Além disso, ouvi os planos deles para os jantares de Ação de Graças no futuro, quando eu estiver muito idosa para organizá-los e eles estiverem no comando em meu lugar: o menu será composto de hambúrgueres e batatas fritas.*[3]

*Parents.com*

# O tempo da mamãe

*Como você pode organizar a sua rotina diária a fim de ter mais tempo dedicado à presença de Deus?*

Capítulo 4

# Planos muito grandes

*"Olho nenhum viu, ouvido nenhum ouviu, mente nenhuma imaginou o que Deus preparou para aqueles que o amam."*

*1Coríntios 2.9*

Às vezes, é difícil olhar para o futuro quando tudo o que conseguimos fazer é pensar no dia de hoje e desabar de cansaço à noite na cama, apenas para começar tudo de novo na manhã seguinte. Pois a Bíblia deixa muito claro: Deus tem planos — planos muito grandes para você e para a sua família. Isso deveria ser motivo de esperança. Aquilo que você não consegue enxergar, ele vê.

Como cristãos, você e os membros de sua família devem se perguntar: "Como podemos aproximar os nossos planos dos planos de Deus?" Você tem dúvidas ou preocupações em relação ao futuro? Entregue-as a Deus em oração. Você tem esperanças e expectativas? Fale com o Senhor sobre os seus sonhos. Você e a sua família estão planejando, cuidadosamente, os dias e semanas que estão pela frente? Então, consulte o Senhor ao estabelecer as suas prioridades. Entregue cada preocupação ao seu Pai celestial e busque, de todo o coração, a sua orientação, orando fervorosamente e sem cessar. Então, escute e confie nas respostas que receberá dele.

O Deus que criou todas as coisas e sabe quantas
estrelas há no céu também sabe quantos fios de
cabelos temos na cabeça. Ele presta atenção às coisas grandes
e às pequenas. O que é importante para
mim é importante para ele, e isso muda a minha vida.

—

*Elisabeth Elliot*

## *Dicas para mães ocupadas*

*Às vezes, esperar fielmente pela revelação do plano de Deus, é mais importante do que compreender tal plano. Ruth Bell Graham disse, certa vez: "Como lidamos com um Deus Todo-poderoso e onisciente, nós, meros mortais, devemos oferecer as nossas petições não apenas com persistência como, também, com paciência. Um dia, nós conheceremos as respostas." Portanto, mesmo quando não conseguir entender os planos do Senhor, você deve confiar nele e jamais perder a fé!*

— — — — — — — — —

*Como você não pode fazer tudo, estabeleça quais são os seus limites com antecedência. É mais fácil dizer não quando você já determinou até onde pode ir.*[4]

*GoodHousekeeping.com*

# * O tempo da mamãe *

*Você tem grandes planos para os seus filhos? De que maneira você pode colocar Deus no centro desses projetos?*

Capítulo 5

# *O poder da paciência*

*Alegrem-se na esperança, sejam pacientes na tribulação, perseverem na oração.*

*Romanos 12.12*

Os rigores da maternidade podem testar até mesmo as mães com o mais calmo dos temperamentos. De vez em quando, até as crianças mais bem-comportadas podem fazer coisas que nos preocupam, nos irritam ou nos deixam enfurecidas. E por quê? Porque elas são crianças. E porque são humanas.

Como pais amorosos, nós devemos ser pacientes com as falhas de nossos filhos (assim como eles também devem ser com as nossas). A nossa paciência, no entanto, não deve ficar restrita àqueles que vivem sob os nossos cuidados. Nós devemos nos esforçar, o máximo possível, para sermos pacientes em todas as nossas relações — desde a forma como tratamos os nossos maridos, até a maneira como falamos com o garçom de um restaurante —, porque os nossos filhos estão observando e aprendendo.

Às vezes, a paciência é simplesmente o preço que pagamos por sermos pais responsáveis, e é exatamente assim mesmo que deve ser. Afinal, pense em como o nosso Pai celestial é paciente conosco.

Quando lemos sobre os grandes líderes bíblicos,
nós vemos que não era incomum Deus pedir a eles que
esperassem, não apenas por um ou dois dias, mas
durante anos, até que chegasse a hora de agirem.

—

*Gloria Gaither*

## *Uma dica para mães ocupadas*

*Seja paciente com a impaciência de seus filhos. É normal que as crianças sejam mais impulsivas do que os adultos; afinal, elas ainda são apenas crianças. Seja, portanto, compreensiva com as limitações dos seus filhos e com as suas imperfeições.*

— — — — — — — — —

*A paciência que você oferece aos seus filhos hoje será, um dia, compartilhada por eles com outras pessoas. A bondade plantada por você na vidinha deles se transformará em respeito por eles mesmos e pelo próximo. E o amor que você compartilha naturalmente com eles será, por sua vez, o amor que eles terão para oferecer, no futuro.*[5]

*Mops.org/blog*

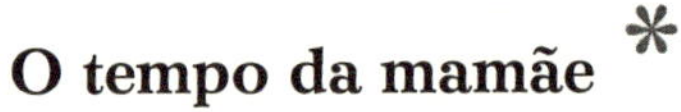

# O tempo da mamãe

*Seus filhos fazem coisas que tiram você do sério?*
*O que você pode fazer, especificamente,*
*para se tornar uma mãe mais paciente?*

*Capítulo 6*

# *Ele renova*

*Darei a vocês um coração novo e porei um espírito novo em vocês.*

*Ezequiel 36.26*

É da vontade de Deus que os seus filhos tenham uma vida feliz, cheia de abundância e paz. O que, porém, isso significa em seu lar e local de trabalho? A paz não é uma sensação tranquila que sentimos quando tudo dá certo — isso é apenas o resultado de um dia excepcionalmente bom. A paz é a certeza de que, independentemente das circunstâncias, Deus ainda está no controle da nossa vida.

Você busca forças no Senhor ou, normalmente, segue a vida contando apenas com as suas próprias forças? Se você está cansada, preocupada, alarmada ou com medo, então é hora de recorrer a um poder infinitamente superior ao seu.

A Bíblia nos diz que podemos todas as coisas em nosso Salvador ressurreto, Jesus Cristo. O nosso desafio, portanto, é claro: devemos colocar Cristo em seu devido lugar, que é o centro de nossa vida.

Você está cansada ou estressada? Pois volte o seu coração ao Senhor em oração. Encontra-se fraca ou preocupada? Então, separe um tempo para mergulhar profundamente na Palavra Sagrada de Deus. Quando fizer isso, você descobrirá que o Criador do universo está pronto e ansioso para criar uma nova sensação de contentamento e alegria em seu interior.

Como me motiva enxergar o meu devocional
de todas as manhãs, como um tempo de retiro
espiritual sozinha com Jesus, que deseja me encontrar,
pessoalmente, em um lugar tranquilo para orar, ler a sua
Palavra, escutar a sua voz e renovar o meu espírito!

—

*Anne Graham Lotz*

## *Dicas para mães ocupadas*

*Você precisa de um tempo para si mesma? Então, tire esse tempo. Ruth Bell Graham fez a seguinte observação: "É importante tirarmos um tempo para nós mesmas — para relaxar e nos renovar." Bem observado.*

— — — — — — — — —

*Você está muito ocupada e muito estressada? Escolha com sabedoria as atividades dos seus filhos. Considere limitar essas atividades a apenas uma ou duas por criança e por ano letivo. Imagine como a sua vida seria mais tranquila com apenas um dia de treino, um jogo e uma festa no fim de semana.*[6]

*GoodHousekeeping.com*

## * O tempo da mamãe *

*Encontre um momento extra no seu dia para relaxar com a Palavra de Deus. Quais inspirações você encontrou durante a leitura?*

# *Um espírito alegre*

*Tenho dito estas palavras para que a minha alegria esteja em vocês e a alegria de vocês seja completa.*

*João 15.11*

Você é o tipo de mãe cujo sorriso é evidente para que todos vejam? Se for, então, parabéns: o seu espírito alegre serve como um exemplo poderoso para a sua família e para os seus amigos. Quer você saiba ou não, algo tão simples quanto um sorriso no rosto pode ter um impacto positivo na sua família e no mundo.

Às vezes, em meio à correria da vida aqui neste mundo, nós podemos perder a alegria que Deus deseja que experimentemos e compartilhemos. Porém, mesmo nos dias mais difíceis, você pode ter certeza de que Deus está cuidando de você. A paz e a alegria são dádivas preciosas do Senhor — dádivas oferecidas a você e à sua família, todos os dias.

Se, no entanto, ao se olhar no espelho, você perceber que o seu semblante não reflete a alegria de Deus na sua vida — nem qualquer tipo de alegria —, nunca é tarde demais para mudar. Comece hoje mesmo. Você é abençoada!

Para um mundo espiritualmente seco e povoado
por vidas ressequidas e queimadas pelo pecado,
Jesus foi a água da vida que saciou a alma sedenta,
salvando-a da "escravidão" e preenchendo-a com
satisfação e alegria, propósito e significado.

—

*Anne Graham Lotz*

## *Dicas para mães ocupadas*

*A alegria é contagiante. Certifique-se de espalhá-la generosamente por onde você for. Lembre-se de que uma família feliz começa com pais alegres.*

— — — — — — — — —

*Se o pensamento negativo e crítico faz parte da sua vida, então está na hora de você começar a treinar o redirecionamento de seus pensamentos. Se não fizer isso, a negatividade afetará o relacionamento com o seu marido e com os seus filhos. Portanto, na próxima vez que você tiver um pensamento crítico, pense no sorriso do seu filho, ou lembre-se de seu rostinho quando ele ainda era um bebê. Pense na santidade de Deus e na perfeição do seu amor por nós.*[7]

*iMOM.com*

## * O tempo da mamãe *

*De que maneiras específicas você e seus filhos podem compartilhar a alegria de Deus com o próximo e com o mundo?*

# O tipo certo de exemplo

*Seja um exemplo para os fiéis na palavra,*
*no procedimento, no amor, na fé e na pureza.*
*1Timóteo 4.12*

Os nossos filhos aprendem por meio das lições que ensinamos e por intermédio da nossa vida, mas não necessariamente nessa ordem. O "botão de gravação" de nossos filhos está sempre ligado. Eles veem e ouvem coisas — tanto boas quanto ruins — que ajudam a moldar aquilo que, um dia, eles farão e dirão. Espero que aquilo que você ensina aos seus filhos, corresponda ao seu próprio comportamento em casa e, especialmente, na comunidade. Ninguém quer ouvir a famosa ordem: "Faça o que eu digo e não o que eu faço."

Que tipo de exemplo você dá? Você é o tipo de mãe cuja vida

serve como exemplo verdadeiro de paciência e justiça? Tem sido aquela mãe cujas ações, dia após dia, são baseadas na bondade, na fidelidade e no amor sincero pelo Senhor? Se assim for, você não é apenas abençoada por Deus como também é uma poderosa força para o bem em um mundo que necessita, desesperadamente, de influências positivas como a sua.

Corrie ten Boom fez a seguinte recomendação: "Não se preocupe com aquilo que você não entende. Preocupe-se com aquilo que você entende na Bíblia, mas não aplica à sua vida." Esse é um bom conselho, pois os nossos filhos e amigos estão nos observando... e Deus também.

A hereditariedade não equipa uma criança
com os comportamentos adequados; as
crianças aprendem aquilo que lhes é ensinado.
Nós não podemos esperar que um comportamento
adequado apareça como um passe de mágica.

—

*James Dobson*

## *Dicas para mães ocupadas*

*Os seus filhos aprenderão sobre a vida por meio de muitas fontes. A mais importante delas, contudo, pode e deve ser você. Mas lembre-se de que as coisas que você diz jamais serão tão importantes quanto as que você faz.*

— — — — — — — — —

*Com o coração cheio de gratidão, pense em todas as coisas que você ama em sua vida. Ou, se preferir, anote-as para que você possa rever a sua lista sempre que desejar. Você pode começar a lista completando a seguinte frase: "Eu amo de verdade ________."*[8]

*Live.FamilyEducation.com*

## * O tempo da mamãe *

*De que maneiras os seus filhos seguem seu exemplo? E como você pode tornar-se um exemplo melhor?*

# Uma regra de ouro

*Assim, em tudo, façam aos outros o que vocês querem que eles façam a vocês; pois esta é a Lei e os Profetas.*

Mateus 7.12

A regra de ouro expressa em Mateus 7.12 é uma das diretrizeque regem o seu lar? Eu espero que sim. Obedecer a ela é uma maneira segura de melhorar todos os seus relacionamentos — especialmente aqueles que você desenvolve com as pessoas que vivem em sua casa. No entanto, o inverso também é verdadeiro: se você ou os seus familiares ignorarem a regra de ouro, então encontrarão problemas, e rápido.

A Palavra de Deus deixa claro: nós devemos tratar as pessoas com respeito, gentileza, justiça e cortesia. Se você tem mais de um filho, ensine-os a tratar os seus irmãos da forma que eles desejam ser tratados. Isso, às vezes, não é fácil — porém, é possível! Além disso, Deus sabe que podemos fazer isso se buscarmos a sua ajuda, ele está pronto a oferecer.

Portanto, mãe, ao cumprir as suas muitas obrigações, certifique-se de que você está costurando o fio da bondade no tecido do seu dia. Quando você faz isso, todos saem ganhando... especialmente você.

Eu enfatizo bastante a forma como devemos tratar as pessoas. A razão para isso é simples. O verdadeiro sucesso da nossa vida pessoal e profissional é medido, de maneira mais adequada, por meio dos relacionamentos que temos com aqueles a quem mais amamos — nossa família, amigos e colegas de trabalho. Se falharmos nesse aspecto de nossa vida, independentemente da quantidade de nossos bens materiais e de nossa posição profissional, nós teremos conquistado muito pouco na vida.

—

*Mary Kay Ash*

## *Dicas para mães ocupadas*

*Quando você vive de acordo com o princípio da regra de ouro, os seus filhos notam, os resultados disso serão tão preciosos quanto o ouro — ou até mesmo melhores do que o ouro!*

— — — — — — — — —

**Ensinar virtudes é trabalho dos pais.** *As virtudes são aprendidas de maneira mais eficaz quando são observadas, em vez de simplesmente ensinadas. É mais provável que as crianças desenvolvam as virtudes exemplificadas por seus pais. Elas aprendem melhor com seus pais que as virtudes são valiosas e essenciais, o que as motiva a se esforçarem para aprendê-las e praticá-las.*[9]

*iMOM.com*

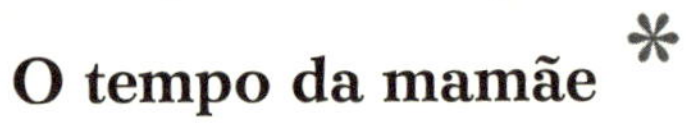

# O tempo da mamãe

*Lembre-se de ocasiões em que seus filhos demonstraram virtudes como respeito, gentileza, justiça ou cortesia. Anote-as e parabenize-os por isso.*

___

___

___

___

___

___

___

___

___

___

___

___

# *Mantendo uma perspectiva adequada*

*Seja a atitude de vocês a mesma de Cristo Jesus.*

*Filipenses 2.5*

Mesmo que você seja a mãe mais atenciosa do mundo, de vez em quando pode perder a perspectiva correta. Isso acontece naqueles dias em que parece que a vida está fora de sintonia e as pressões da maternidade são esmagadoras. Quando isso acontece, é necessário adquirir uma nova perspectiva, um novo senso de equilíbrio e... Deus.

Se uma perda temporária de perspectiva é motivo de preocupação ou exaustão — ou ambos —, então é hora de reajustar os seus padrões de pensamento. Os pensamentos negativos criam hábitos;

no entanto, felizmente, os positivos fazem o mesmo. Com a prática, você pode criar o hábito de se concentrar nas prioridades de Deus e nas possibilidades apresentadas a você. Quando isso acontecer, você dedicará menos tempo se preocupando com os seus desafios e mais tempo louvando o Senhor pelas suas bênçãos.

Portanto, hoje, neste exato minuto, ore por um senso de equilíbrio e perspectiva. Lembre-se: os seus pensamentos têm muito poder. Portanto, tenha cuidado com aquilo que você escolhe para ocupar a sua mente.

Os medos terrenos não são, na verdade,
medo algum. Responda às grandes questões
da eternidade e as pequenas questões desta vida
serão enxergadas em outra perspectiva.

—

*Max Lucado*

## *Uma dica para mães ocupadas*

*É importante lembrar que só Deus é perfeito. Você não é. O seu marido não é. O seu chefe e os seus colegas de trabalho não são. Os seus vizinhos, a sua igreja, os seus filhos, os seus pastores, os seus amigos... nenhum deles é perfeito. Somente Deus é perfeito.*

— — — — — — — — —

*O que estou dizendo é que hoje é o dia "perfeito" para nós tirarmos os nossos chefes, maridos, vizinhos, filhos, pastores, amigos e, talvez, até mesmo nós mesmas do pedestal da perfeição — pois entre o "perfeito" e o "quem eu sou de verdade", nós encontraremos o nosso "bom o bastante!".*[10]

*247moms.com*

*Em que áreas de sua vida você sente que há negatividade?*

*Agora, gaste um momento pensando em como Deus responderia à sua lista.*

# *Oração e adoração familiar*

*Mas eu e a minha família serviremos ao SENHOR.*

*Josué 24.15*

Quando incentiva a sua família a adorar a Deus, você deve ser reconhecida. A adoração, no entanto, é mais do que simplesmente ir à igreja aos domingos e cantar louvores e hinos. "Adorar" é um verbo — exige ação de nossa parte, tanto no culto quanto em casa. Uma música bonita, a admiração pela natureza e palavras de louvor — tudo isso pode ser desfrutado como família.

Você e a sua família oram apenas antes das refeições ou também fazem pequenas orações ao longo do dia e uma oração de gratidão na hora de dormir? Nós vivemos em uma sociedade em que muitos pais abandonaram, talvez sem querer, a liderança moral de suas famílias — e isso, muitas vezes, traz consequências trágicas.

Todos os dias oferecem oportunidades para colocarmos Deus em seu lugar de direito: no centro do nosso coração. Que nós adoremos ao Senhor, ao Senhor apenas. Portanto, ao cumprir as suas atividades diárias, lembre-se das instruções de Deus: "Alegrem-se sempre. Orem continuamente. Deem graças em todas as circunstâncias, pois esta é a vontade de Deus para vocês em Cristo Jesus" (1Tessalonicenses 5.17-18). Deus está sempre ouvindo — e ele deseja ouvir tudo aquilo que você e a sua família têm a dizer.

Existe, no entanto, um grande incentivo para adorar e amar a Deus na ideia de que, por algum motivo insondável, ele deseja ser meu amigo e entregou o seu Filho para morrer por mim, a fim de realizar este propósito. Não apenas para que conheçamos Deus, mas para que ele nos conheça também.

—

*J. I. Packer*

## *Dicas para mães ocupadas*

*Nunca sinta vergonha de orar. Você se sente encabulada de curvar a cabeça para fazer uma oração em um restaurante? Pois não se sinta; aqueles que não estão fazendo o mesmo é que deveriam se envergonhar!*

— — — — — — — — —

*Peça ajuda! Você não precisa ser uma supermãe e fazer tudo sozinha. Utilize-se de outros recursos quando estiver com pouco tempo ou pouca vontade. Considere fazer um acordo com outra mãe; ela pode fazer as compras do supermercado para você um dia, e você pode tomar conta do filho dela em outro.*[11]

*Parents.com*

## * O tempo da mamãe *

*Dedique alguns minutos para escrever orações por seus filhos e sua família.*

# *Dedicando tempo para louvar a Deus*

*Por meio de Jesus, portanto, ofereçamos continuamente a Deus um sacrifício de louvor, que é fruto de lábios que confessam o seu nome.*

*Hebreus 13.15*

Nós, às vezes, não damos valor aos tesouros que Deus nos deu. Nossos filhos, família, casa, emprego, amigos, talentos — é claro que somos gratas por tudo isso; porém, algumas vezes, eles parecem ser algo "esperado", como se fossem estar sempre presentes em nossa vida.

Deus enviou o seu único Filho para morrer em nosso lugar; ele nos deu uma família para cuidar e amar, bem como, a cada manhã, mais um dia de vida repleto de oportunidades para celebrar e servir. O que devemos fazer em resposta a dádivas tão preciosas? Louvar ao Senhor!

Ao contemplar uma nuvem passageira, ou um pôr do sol maravilhoso, reflita sobre tudo o que Deus fez por você. Sempre que perceber uma bênção vinda das mãos daquele que só nos dá boas dádivas e dons perfeitos, louve-o. As suas obras são maravilhosas, suas bênçãos estão além da nossa compreensão. O amor do Senhor dura para sempre.

Eu devo louvar a Deus por todas as coisas, independentemente de onde elas pareçam ter se originado. Fazer isso é o segredo para receber as bênçãos do Senhor. O louvor expulsa todo ressentimento.

—

*Catherine Marshall*

## *Dicas para mães ocupadas*

*Lembre-se de que sempre compensa louvar o seu Criador. É por isso que mães atenciosas (como você) têm, como hábito, separar alguns momentos do dia para louvar ao Senhor.*

— — — — — — — — —

*O clichê "Há tantas coisas para fazer e tão pouco tempo para fazê-las" certamente nasceu da boca de uma mãe ocupada. Uma maneira de ajudar a priorizar as tarefas de administração do lar é fazer uma lista de afazeres diários (um simples bloquinho de anotações é o meu favorito para fazer isso). Gastar cinco minutos do dia para elaborar essa lista ajudará a economizar tempo a longo prazo.*[12]

*FocusontheFamily.com*

## * O tempo da mamãe *

*Separe alguns minutos para fazer uma lista com os nomes das pessoas mais especiais da sua vida e anote todas as bênçãos que você recebeu de Deus por intermédio delas.*

______________________________

______________________________

______________________________

______________________________

______________________________

______________________________

______________________________

______________________________

______________________________

______________________________

*Agora, agradeça a Deus por essas bênçãos.*

# *Todos os dias com Deus*

*Ele me acorda manhã após manhã, desperta meu ouvido para escutar como alguém que está sendo ensinado. O Soberano, o SENHOR, abriu os meus ouvidos, e eu não tenho sido rebelde; eu não me afastei.*

*Isaías 50.4-5*

Existe algo especial em uma nova manhã. O que quer que tenha acontecido na véspera é passado; o hoje é um novo começo. Cada novo dia é um presente de Deus e mães sábias dedicam alguns minutos de cada manhã, para agradecer ao Criador. A vida cotidiana é tecida com os fios do hábito — e nenhum hábito é mais importante para a nossa saúde espiritual do que a disciplina da oração e devoção diárias ao nosso Criador.

Quando nós começamos todos os dias com a cabeça curvada e

o coração elevado ao céu, lembramos que Deus está conosco. Nada que aconteça em nossa vida pode surpreendê-lo, ou exceder a sua soberania. Se formos sábias, então alinharemos as nossas prioridades para o dia que começa com os ensinamentos e mandamentos de Deus presentes em sua Santa Palavra.

Você deseja mudar algum aspecto de sua vida? Dedique, então, um tempo da sua rotina agitada para estar na presença do seu Pai celestial. Acaso você procura aprimorar o seu estudo da Palavra de Deus? Peça, portanto, a sabedoria do Senhor enquanto você medita em alguma passagem das Escrituras. No entanto, não espere abrir sua Bíblia hoje e tornar-se sábia amanhã. A sabedoria não é como um cogumelo; ela não surge da noite para o dia. Ao contrário, ela assemelha-se a um carvalho, que começa bem pequenino e vai crescendo até se transformar em uma grande e forte árvore, quase alcançando o céu. E tudo isso começa com pequenos momentos na presença do Senhor no dia de hoje.

A nossa devoção a Deus é fortalecida
quando renovamos o nosso compromisso
com ele todos os dias.

—

*Elizabeth George*

## *Dicas para mães ocupadas*

*Quanto tempo você tem disponível? Decida quanto do seu tempo Deus merece receber e, então, ofereça-o a ele. Não organize o seu dia de modo que o Senhor fique com a "sobra". Dê-lhe aquilo que você realmente acredita que ele merece.*

— — — — — — — — —

*Coloque seus filhos para trabalhar! Embora seja verdade que as crianças precisam de um tempo para descansar e brincar, algumas tarefas domésticas também podem fazer bem para elas — e muito bem para você. As obrigações e tarefas ensinam sobre independência e responsabilidade às crianças, além de ajudar a economizar o tempo dos pais muito ocupados.*[13]

*Live.FamilyEducation.com*

## * O tempo da mamãe *

*Em quais tarefas você pode permitir que seus filhos a ajudem, a fim de sobrar algum tempo durante o seu dia para você buscar a presença de Deus?*

# Sonhos grandes

*"Olho nenhum viu, ouvido nenhum ouviu, mente nenhuma imaginou o que Deus preparou para aqueles que o amam."*
*1Coríntios 2.9*

Você é o tipo de mãe que acredita que Deus tem grandes planos reservados para você e para a sua família? Eu espero que sim. Ainda assim, às vezes — principalmente se você experimentou recentemente uma grande decepção na vida —, pode ser difícil imaginar um futuro melhor para você e seus familiares. Se este for o seu caso, então é hora de reconsiderar a sua capacidade... e, principalmente, a de Deus.

Nosso Pai celestial nos criou com dons únicos e talentos inexplorados e nosso trabalho, neste caso, é descobri-los. Pergunte a si mesma: "Qual é a minha paixão?" Talvez seja a fotografia, ou a culinária. Quem sabe você planeja montar um blog ou ter aulas de balé. Se você não sabe ao certo quais são os seus dons, pergunte a uma amiga próxima o que ela acha que você faz melhor. Depois que reconhecer seus talentos, você começará a sentir uma confiança cada vez maior em si mesma e sobre o seu futuro.

É preciso coragem para sonhar grande. Você descobrirá essa coragem quando fizer três coisas: aceitar o passado, confiar em Deus para cuidar do seu futuro e aproveitar ao máximo o tempo que ele lhe proporciona no dia de hoje.

Nada é difícil demais para Deus e não existe nenhum sonho grande demais para ele — nem mesmo o seu. Comece, então, a viver — e a sonhar — de acordo com essa verdade.

Eu olho para trás agora e me dou conta de que
a bênção de uma amiga verdadeira é que ela não nos
vê como nós nos enxergamos, ou como as outras
pessoas nos veem. Uma amiga de verdade nos vê como nós
somos e como quem podemos nos tornar.

—

*Robin Jones Gunn*

## *Uma dica para mães ocupadas*

*Você pode ter sonhos grandes; porém, jamais terá sonhos maiores do que os de Deus. Os planos do Senhor para você e a sua família são ainda maiores do que você pode imaginar.*

— — — — — — — — —

*Hoje, eu a desafio a tirar dez minutos do seu dia para sentar em silêncio e fazer a Deus duas grandes perguntas: "O que tu desejas que eu faça?"; e: "Por que eu não deveria fazer isso?"*
*Pare de usar mil motivos pelos quais a sua vida não permite que você faça o que deve. Em vez disso, vamos entregar os nossos planos ao Senhor e ver o que acontece com nossa vida quando fazemos isso, pois não existe nenhum motivo para não agirmos assim. Veremos a nossa vida mudar quando nos dermos conta de como ele deseja nos usar.*[14]

*247moms.com*

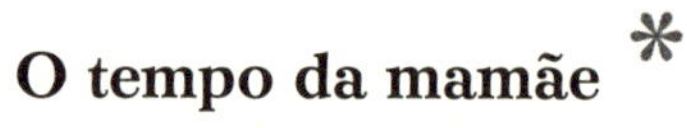

# O tempo da mamãe

*Quais são os seus maiores sonhos? E quais são os seus sonhos para a vida de seus filhos?*

# *Deus pode resolver isso*

*Pois eu sou o SENHOR, o seu Deus, que o segura pela mão direita e diz a você: Não tema; eu o ajudarei.*

*Isaías 41.13*

Essa é uma promessa feita diversas vezes na Bíblia: o que quer que seja, Deus pode resolver. Não existe problema grande demais para ele.

A vida não é fácil; muito menos justa. Longe disso! A sua família pode passar pelo desemprego ou por uma enfermidade. Você pode ter preocupações sobre o futuro, ou com um filho com necessidades especiais. No entanto, mesmo durante os momentos mais difíceis, você tem a proteção de um Pai celestial amoroso. Sim, o Senhor é aquele que lhe oferece abrigo na sombra de suas asas.

Quando você estiver preocupada, Deus pode tranquilizá-la com as suas promessas; quando estiver triste, o Senhor pode consolá-la com o seu Espírito. Quando o seu coração está partido, o Pai celestial não está apenas perto; ele está exatamente ao seu lado. Liberte-se, portanto, de tudo aquilo que você está tentando carregar sozinha. Permita que o seu Pai amoroso segure a sua mão, à medida que você confia a ele todas as suas preocupações.

Tudo o que é necessário para a realização de um serviço bem-feito é, simplesmente, colocar todas as coisas nas mãos do Senhor, deixando-as lá. Não diga em oração: "Senhor, guia-me, dá-me sabedoria, ajuda-me", para depois se levantar e tomar todo o seu fardo de volta, tentando resolver tudo por conta própria. Deixe tudo com o Senhor, e lembre-se de que aquilo que você confia a ele deve deixar de ser motivo de preocupação e ansiedade. A confiança e a preocupação não podem andar juntas.

—

*Hannah Whitall Smith*

## *Dicas para mães ocupadas*

*Deus está no controle deste mundo e da sua vida pessoal. Confie nele. Vance Havner escreveu: "Quando chegamos a um ponto em que nada pode ser feito, a menos que Deus intervenha, então ele assim o faz!" Ensine, portanto, aos seus filhos que Deus pode resolver qualquer coisa.*

— — — — — — — — —

*O estresse e a maternidade andam de mãos dadas. Nós, basicamente, já levantamos da cama pela manhã correndo e só paramos quando deitamos a cabeça no travesseiro. Se, porém, nós não lidarmos com nosso estresse e irritabilidade, o nosso relacionamento com nossos filhos refletirá essa tensão.*[15]

*iMOM.com*

# O tempo da mamãe

*Quais coisas presentes em sua vida você precisa entregar a Deus?*

# *Aqueles dias difíceis*

*De todos os lados somos pressionados, mas não desanimados; ficamos perplexos, mas não desesperados.*

*2Coríntios 4.8*

Como toda mãe sabe, alguns dias são particularmente difíceis. Dias como aquele em que o bebê fica doente, a pilha de roupa suja está enorme ou as contas a pagar estão se multiplicando. Quando nos encontramos tomadas pelas frustrações inevitáveis da vida, devemos parar, respirar fundo e elevar os nossos pensamentos. Apesar de estarmos, nesta vida, lutando para vencer as distrações do dia, nós jamais devemos fazer isso sozinhas. Deus está aqui — eterno e fiel —, e, se pedirmos a sua ajuda, ele restaurará a paz e a perspectiva de nossa alma.

Às vezes, até mesmo as mães cristãs mais devotas podem

desanimar e você não é uma exceção. Afinal, você vive em um mundo cheio de problemas, onde as expectativas podem ser altas e as demandas, mais altas ainda.

Se você se encontra enfrentando um dia difícil, tente enxergar isso como uma oportunidade para o agir de Deus. Em determinados dias, o Senhor terá muitas oportunidades para fazer isso! Confie nele; ele é fiel para guiá-la até o fim.

Quando chegam os momentos difíceis da vida, nós sabemos que, não importa quão trágicas pareçam as nossas circunstâncias — nem há quanto tempo tenhamos vivido um período de seca espiritual, ou quão longos sejam os dias de dificuldade —, o sol certamente voltará a brilhar; uma nova manhã nascerá.

—

*Gloria Gaither*

## *Dicas para mães ocupadas*

*Todas as mães enfrentam dias difíceis. No entanto, aquelas que são cristãs fazem isso com Deus ao seu lado.*

— — — — — — — — —

**Crie uma rotina.** *Nem sempre é fácil sair de casa na hora certa, quando temos uma rotina matinal estabelecida. Porém, sem dúvida, seria mais difícil ainda se tudo fosse feito aleatoriamente, sem algum tipo de organização. Certifique-se de estabelecer uma rotina específica para cada manhã, que inclua alimentar todos os membros da família, conferir se todos estão vestidos de maneira apropriada e prontos para entrar no carro ou no ônibus escolar no horário certo.*[16]

*247moms.com*

## O tempo da mamãe

*De quais distrações presentes em sua rotina diária você pode abrir mão?*

# Escolha perdoar

*E, quando estiverem orando, se tiverem alguma coisa contra alguém, perdoem-no, para que também o Pai celestial perdoe os seus pecados.*

*Marcos 11.25*

Até mesmo as mães mais tranquilas têm, de vez em quando, motivos para se irritar com as inevitáveis falhas de membros da família ou de amigos. Mulheres sábias, no entanto, são rápidas para perdoar os outros, da mesma forma que Deus as perdoou.

O perdão é um mandamento do Senhor. Mas, que mandamento difícil de ser cumprido! Nós, muitas vezes, sentimos como se tivéssemos o direito de guardar rancor quando alguém nos prejudica. Como somos seres humanos falhos, frágeis e imperfeitos, nós nos irritamos e culpamos os outros com muita facilidade — por outro lado, custamos a perdoar e, principalmente, a esquecer. Nada disso, porém, importa. Mesmo quando perdoar é difícil, a Palavra de Deus é clara.

Se, em seu coração, você guarda rancor por alguém, perdoe, mesmo se essa pessoa não estiver arrependida. Se existe uma pessoa sequer, viva ou morta, a quem você não tenha perdoado, obedeça ao mandamento de Deus e cumpra a vontade dele para a sua vida: perdoe. Se você está amargurada consigo mesma por causa de algum erro ou falha do passado, perdoe-se. Isso a libertará. E, então, tente, da melhor maneira possível, esquecer e seguir em frente. Amargura e arrependimento não fazem parte do plano de Deus para a sua vida. O perdão, sim.

O perdão, na verdade, é a melhor vingança,
porque ele não apenas nos liberta da pessoa a
quem perdoamos, como também nos liberta
para termos acesso a tudo o que Deus tem
reservado para nós.

—

*Stormie Omartian*

## *Dicas para mães ocupadas*

*Encare os fatos: perdoar pode ser uma coisa muito difícil. Isso, porém, não importa. Deus nos manda perdoar as pessoas (e continuar perdoando), e ponto final. Como mãe, você deve explicar aos seus filhos que perdoar as pessoas — mesmo quando isso é difícil — é a coisa certa a fazer.*

— — — — — — — — —

*No entanto, como podemos evitar as queixas, reclamações e frustrações em meio ao exigente papel da maternidade? Quando se trata de agir da forma certa como mãe todos os dias, o nosso lema deve ser: "A atitude é fundamental" E quando se trata de conselho sobre atitude, o texto de Provérbios 15.13-15 é uma ótima passagem para ser lida.*[17]

*iMOM.com*

## * O tempo da mamãe *

*Você precisa perdoar alguém em seu coração?*
*Você precisa de perdão por algo que tenha feito?*

# *O dom da vida eterna*

*Porque Deus tanto amou o mundo que deu o seu Filho Unigênito, para que todo o que nele crer não pereça, mas tenha a vida eterna.*

*João 3.16*

A sua vida aqui na terra é apenas uma preparação para uma existência muito diferente, que está por vir: a vida eterna, a qual Deus prometeu a todos aqueles que receberam o seu Filho como Salvador.

Quando nós estamos "vivendo a vida", como se diz, é difícil enxergar além das tarefas diárias e contemplar a eternidade. Às vezes, é difícil até pensar na próxima segunda-feira! No entanto, a visão de Deus não é afetada por tais limitações: os seus planos se estendem por toda a eternidade. Portanto, os planos do Senhor para a sua vida não estão limitados aos altos e baixos normais da vida diária. O seu Pai celestial tem coisas maiores em mente — muito maiores.

Ao lutar contra as dificuldades e decepções inevitáveis da vida, lembre-se de que Deus a convidou para aceitar toda a sua abundância, não apenas no dia de hoje, mas para toda a eternidade. Mantenha, portanto, as coisas sob a perspectiva correta. Apesar de enfrentar muitos fracassos neste mundo, você terá toda a eternidade para celebrar a vitória final do mundo que está por vir.

Eu mal posso acreditar. Eu, com meus dedos enrugados e tortos, músculos atrofiados, joelhos encaroçados e sem sentir meu corpo dos ombros para baixo, terei, um dia, um corpo novo — leve, reluzente e vestido de justiça. Um corpo forte e deslumbrante.

—

*Joni Eareckson Tada*

## *Dicas para mães ocupadas*

*Deus nos oferece uma graça inestimável: a dádiva da vida eterna. O Senhor criou o céu e ofereceu uma maneira para que você chegue até lá. Não deixe de compartilhar essa verdade com os seus filhos.*

— — — — — — — — —

*Seja verdadeira. Ser um exemplo a ser seguido não significa passar uma imagem de perfeição, enquanto se esconde todo o resto. Nós devemos permitir que os nossos filhos vejam como lidamos com os desafios da vida — dos grandes aos pequenos. Mesmo que tenhamos dificuldade para fazer isso, os nossos filhos precisam ver como nós lidamos com a vida real.*[18]

*iMOM.com*

# * O tempo da mamãe *

*Dedique algum tempo para refletir sobre as dádivas que temos reservadas no céu para nós e sobre o preço da nossa salvação.*

# A boa forma é importante

*Assim, quer vocês comam, quer bebam, quer façam qualquer outra coisa, façam tudo para a glória de Deus.*

*1Coríntios 10.31*

A boa forma é uma escolha; uma decisão que exige disciplina — simples assim. Observe que eu não disse que é "fácil assim". Por quê? Porque normalmente é mais divertido comer uma segunda fatia de bolo do que dar uma segunda volta na pista de corrida. Da mesma forma como devemos ter uma vida disciplinada em relação aos nossos hábitos espirituais, nós devemos cuidar do corpo que Deus nos deu. Afinal, ele é o único que teremos até chegarmos ao céu.

Nós vivemos em um mundo onde o lazer é glorificado e o consumo, enaltecido. Deus, porém, tem outros planos. Ele não nos criou para vivermos na glutonaria e na preguiça; o Senhor nos fez para propósitos muito mais elevados.

Deus tem um propósito para cada aspecto da sua vida e os seus planos incluem provisões para a sua saúde física. Ele, no entanto, espera que você faça a sua parte! Não fique assustada com a ideia de que mais alguma coisa tomará o seu tempo — no caso, uma rotina de exercícios físicos. Fazer escolhas alimentares saudáveis, combinadas com agradáveis e rápidas caminhadas pela vizinhança, são mudanças simples, que podem fornecer mais energia para o seu dia. Trata-se de algo que só traz coisas positivas: você terá mais energia para sua família, se sentirá melhor consigo mesma e honrará a Deus por meio do compromisso de cuidar de sua bênção — que é você mesma!

As pessoas são engraçadas. Quando jovens,
elas gastam a saúde para tentar obter riquezas.
Mais tarde, elas gastam de bom grado tudo o que
juntaram a fim de recuperar a saúde.

—

*John Maxwell*

## *Dicas para mães ocupadas*

*Se você está tentando remodelar a sua forma física ou reprogramar sua vida na questão da saúde, não tente fazer isso sozinha. Envolva os seus filhos nessa empreitada. Você também pode pedir o apoio e o incentivo do seu marido e de suas amigas. Quem sabe, pode até marcar programas que incluam algum tipo de atividade física com alguns amigos dos seus filhos, junto com as suas mães. Você aumentará a sua chance de sucesso se tiver outras pessoas ao lado para encorajarem umas às outras.*

— — — — — — — — —

*Não pule o café da manhã! Uma xícara de café não significa um começo saudável para o seu dia (e não, duas xícaras também não). Estudos mostram que as pessoas se sentem mais satisfeitas com alimentos ingeridos pela manhã, uma sensação que pode se traduzir em mais energia para o seu dia.*[19]

*Webmd.com*

## * O tempo da mamãe *

*Quais atividades você pode fazer com os seus filhos todos os dias para se exercitar?*

# O seu mundo barulhento

*Descanse no SENHOR e aguarde por ele com paciência.*
*Salmo 37.7*

Encare: nós vivemos em um mundo barulhento, cheio de distrações, frustrações e complicações. O nosso celular apita a cada nova mensagem; a televisão está sempre ligada; as crianças não param de correr e gritar. Se, porém, nós permitirmos que todas essas distrações nos afastem da paz de Deus, então estaremos nos fazendo um profundo desserviço.

Você é uma dessas mães ocupadas, que correm de um lado para o outro durante o dia, quase sem conseguir separar um momento de tranquilidade para buscar a presença de Deus e orar? Se for, então, chegou a hora de fazer um esforço pessoal para conseguir esse momento de paz e tranquilidade. Se a sua casa for um pouco alvoroçada, procure pelo menos um cômodo (talvez, o seu quarto) que seja um refúgio — um lugar onde você possa fechar a porta, silenciar o telefone, acender uma vela perfumada e ficar quieta, em silêncio, nem que seja apenas por alguns minutos.

Nada é mais importante do que o tempo que você dedica ao seu Salvador. Portanto, busque isso e reivindique a paz interior que a aguarda na presença do Senhor. Se o próprio Jesus precisava de momentos de silêncio, longe da multidão, para estar com o Pai, por que seria diferente com você?

Entre os inimigos da devoção, nenhum é tão prejudicial quanto as distrações. Qualquer coisa que desperta a curiosidade, dispersa os pensamentos, inquieta o coração, absorve os interesses ou altera o foco do Reino de Deus dentro de nós para o mundo ao nosso redor, pode ser considerado uma distração — e o mundo está cheio delas.

—

*A. W. Tozer*

## *Dicas para mães ocupadas*

*A maneira certa de começar o dia: Comece cada dia separando alguns minutos de silêncio para organizar seus pensamentos. Durante esse tempo, leia pelo menos uma passagem bíblica edificante a fim de, dessa forma, começar o dia de maneira positiva e produtiva.*

— — — — — — — — —

*Quando você se sentir sobrecarregada, tente diminuir o barulho do fundo, "desligando" alguns de seus aparelhos eletrônicos.*[20]

*Parenting.com*

# O tempo da mamãe

*Qual é o melhor lugar para você buscar a presença de Deus todos os dias? Além disso, quais atividades estão atrapalhando o seu tempo de qualidade com o Senhor?*

Capítulo 21

# *Quando cometemos erros*

*Portanto, se alguém está em Cristo, é nova criação. As coisas antigas já passaram; eis que surgiram coisas novas!*

*2Coríntios 5.17*

Como pais e mães, estamos longe de sermos perfeitos. O mesmo é verdadeiro em relação aos nossos pais. E, sem dúvida, os nossos filhos também são imperfeitos. Assim, podemos esperar que erros sejam cometidos.

Alguém da sua família, ou próximo a ela, sofreu recentemente algum tipo de recaída? Em caso afirmativo, é hora de começar a atentar para aquilo que Deus está tentando ensinar. É hora de aprender o que precisa ser aprendido, mudar o que precisa ser mudado e seguir em frente.

Uma das maiores lições que você pode ensinar aos seus filhos é se humilhar e admitir sempre que você cometer algum erro. Eles precisam vê-la pisar na bola às vezes, assim como acontece com eles, e também precisam ouvir alguns pedidos de desculpa. Seus filhos serão capazes de aprender com os seus próprios erros, se puderem ver uma mãe que faz o mesmo.

Se você cometeu erros, até mesmo erros graves, sempre existe uma nova chance, pois o que chamamos de "fracasso" não é cair, mas sim permanecer no chão.

—

*Mary Pickford*

## *Dicas para mães ocupadas*

*Nenhuma mãe é perfeita, nem mesmo você. Consequentemente, você cometerá erros de vez em quando (e sim, pode até mesmo perder a paciência). Quando estiver errada, simplesmente admita. Ao fazer isso, você mostrará aos seus filhos que é muito melhor consertar os problemas do que ignorá-los.*

— — — — — — — — —

*O seu objetivo não é criar uma vida perfeita, desprovida de obstáculos ou interrupções; seu objetivo é suavizar o que for possível, criar sistemas que ajudem a controlar o caos e aprender a seguir o fluxo, quando nada disso funcionar.*[21]

*FocusontheFamily.com*

## * O tempo da mamãe *

*Quais lições você aprendeu por meio de erros do passado?*

# *Confie no Pastor*

*O SENHOR é o meu pastor; de nada terei falta.*

*Salmo 23.1*

No famoso Salmo 23, Davi nos ensina que Deus é como um pastor vigilante, que cuida de seu rebanho. Não é de se admirar, portanto, que esse versículo tenha proporcionado consolo e esperança a inúmeras gerações de cristãos ao longo dos tempos.

Quando Deus contempla sua vida, ele vê uma pessoa preciosa, de muito valor. Da mesma maneira como você costumava observar seu bebê dormindo, o Senhor escuta cada respiração sua; portanto, não há motivo algum para temer. As ovelhas não são capazes de cuidar de si mesmas, por isso precisam de um pastor dedicado. Por isso, não é coincidência que a Bíblia compare os filhos de Deus a um rebanho necessitado.

Vez ou outra, nós enfrentaremos circunstâncias que atormentarão profundamente a nossa alma. Portanto, quando você estiver estressada, entregue as suas preocupações ao Senhor. Quando se sentir ansiosa, aquiete-se e atente seus ouvidos à garantia das promessas de Deus. E, então, entregue sua vida nas mãos do Senhor. Ele é o seu Pastor hoje, e o será por toda a eternidade. Confie no Supremo Pastor.

Cristo reina em sua Igreja como pastor e rei.
Ele tem todo o poder, mas exerce a liderança como
um pastor sábio e terno sobre o seu rebanho amado e
necessitado. Ele ordena e recebe, em troca, obediência;
mas é uma submissão voluntária de ovelhas que são bem
cuidadas, oferecida com alegria ao seu amado pastor, cuja
voz elas conhecem tão bem. O Senhor reina pela força do
amor e pela energia do bem.

—

*C. H. Spurgeon*

## *Dicas para mães ocupadas*

*Você sabe que Deus é amor. Agora, é sua responsabilidade que os seus filhos também saibam disso.*
*Uma das lições mais importantes que você pode aprender é confiar em Deus em todas as coisas — não em algumas ou em muitas coisas, mas em todas elas.*

— — — — — — — — —

*Deus vê o seu potencial, mesmo quando você mesma ou as outras pessoas não veem. Você só consegue enxergar onde está neste momento; o Senhor, porém, vê onde você pode chegar com a sua ajuda... se você permitir!*[22]

*Busymomsconnect.com*

# O tempo da mamãe

*Lembre-se das vezes que Deus mostrou toda a sua fidelidade para com você e a sua família. O que você aprendeu com essas experiências?*

# *Comprar ou não comprar?*

*Não acumulem para vocês tesouros na terra, onde a traça e a ferrugem destroem e onde os ladrões arrombam e furtam. Mas acumulem para vocês tesouros nos céus, onde a traça e a ferrugem não destroem e onde os ladrões não arrombam nem furtam. Pois onde estiver o seu tesouro, aí também estará o seu coração.*

*Mateus 6.19-21*

No mundo exigente em que vivemos, a prosperidade financeira pode ser uma coisa boa. No entanto, a prosperidade espiritual é profundamente mais importante. Acontece que a nossa sociedade nos leva a acreditar no oposto. O mundo glorifica os bens materiais, a fama pessoal e a beleza física. Todas essas coisas, obviamente, não têm importância alguma para Deus. O Senhor vê o nosso coração — e é isso que importa para ele.

Isso significa que nós não podemos desfrutar de nossos bens? Não; nós certamente podemos ser abençoados por nossa casa e as coisas que possuímos e podemos, também, abençoar as outras pessoas com tudo isso. Se, porém, a nossa intenção for o acúmulo de coisas, então estamos depositando o nosso tesouro no lugar errado.

Quando estiver estabelecendo as prioridades de consumo para você mesma e para a sua família, lembre-se disto: o mundo fará o possível para convencê-la de que ter coisas é importante. O mundo a tentará a valorizar a fortuna acima da fé e os bens acima da paz. Contudo, seja grata por tudo o que você tem e confie em Deus para prover aquilo de que precisa.

É preocupante a quantidade de tempo, esforço, sacrifício, compromisso e atenção que nós investimos para a aquisição e o aumento de coisas que são totalmente insignificantes para a eternidade.

—

*Anne Graham Lotz*

## Dicas para mães ocupadas

*Os bens materiais podem parecer atraentes em um primeiro momento, mas eles não têm comparação com os dons espirituais oferecidos por Deus àqueles que o colocam em primeiro lugar. Escolha fazer parte deste grupo.*

— — — — — — — — —

**Coisas demais:** *Coisas demais não garantem a felicidade. Na verdade, possuir coisas demais pode até mesmo ser um empecilho para ela.*

— — — — — — — — —

*Ter coisas não é algo ruim; porém, nós devemos ser honestas em relação ao fato de que, quanto mais possuímos, mais somos obrigadas a manter. Em determinado momento, o custo dessa propriedade torna-se muito alto, e nós seríamos mais felizes com menos coisas para cuidar.*[23]

*iMOM.com*

## * O tempo da mamãe *

*De que formas você poderia mostrar aos seus filhos como manter hábitos de consumo que reflitam os valores que são importantes para você?*

# *Tempo: um tesouro de Deus*

*Ensina-nos a contar os nossos dias para que o nosso coração alcance sabedoria.*

*Salmo 90.12*

Como toda mãe sabe muito bem, simplesmente não há tempo suficiente para fazer tudo o que queremos — e precisamos — fazer. É justamente por isso que nós devemos ter muito cuidado em relação a como escolhemos gastar o tempo que Deus nos deu.

O tempo é um dom não renovável do Criador. Porém nós, às vezes, tratamos o nosso tempo aqui na terra como se ele não fosse uma dádiva: nós caímos na tentação de investir nossa vida em coisas superficiais e mesquinhas, ou em atividades banais. Porém, o nosso Pai celestial tem um chamado infinitamente superior para cada um de nós. Isso não significa que não podemos relaxar de vez em quando, ou que devemos nos sentir culpadas por desacelerar, quando necessário. Às vezes, as mães só precisam de uma pausa em meio a tantos dias cheios de compromissos e afazeres. Nós só não devemos desperdiçar as oportunidades dadas por Deus para produzir coisas boas dentro das vinte e quatro horas de cada dia.

Cada momento do dia possui o potencial para realizar boas obras, dizer palavras de vida e oferecer súplicas sinceras. O nosso desafio, como mães, é usar o nosso tempo com sabedoria no serviço da obra do Senhor e de acordo com o seu plano para a nossa vida.

O excesso de compromissos e as pressões de
tempo são os maiores destruidores de casamentos
e famílias. É preciso investir tempo para desenvolver
qualquer relacionamento, seja com um ente querido
ou com o próprio Deus.

—

*James Dobson*

## *Dicas para mães ocupadas*

*Quanto tempo você deve dedicar à sua família? A resposta é bem direta: você deve investir grandes quantidades de tempo de qualidade, para cuidar dos seus. Ao cuidar deles, você deve fazer o seu melhor para garantir que Deus permaneça totalmente no centro da vida de sua família. Quando fizer isso, ele a abençoará — e abençoará seu marido e seus filhos — de maneiras como você sequer imaginou.*

— — — — — — — — —

*Você não será capaz de dar conta do seu trabalho ou da sua família se não cuidar de si mesma. O tempo que dedicamos a nós mesmas é muito importante para mães ocupadas. Mesmo que seja apenas quinze ou vinte minutos por dia, você deve separar esse tempo para si.*[24]

*Sheknows.com*

## * O tempo da mamãe *

*Que coisas divertidas e novas você pode fazer com seus filhos, a fim de que tenham um tempo de qualidade juntos?*

# *Escolhendo ser bondosa*

*Sejam bondosos e compassivos uns para com os outros, perdoando-se mutuamente, assim como Deus os perdoou em Cristo.*

*Efésios 4.32*

A bondade é uma escolha. Às vezes, quando nos sentimos felizes ou generosas, achamos fácil agir de maneira bondosa. Já em outras ocasiões, quando estamos desanimadas ou cansadas, mal conseguimos reunir nossas forças para pronunciar uma única palavra gentil. No entanto, o mandamento de Deus é bem claro: ele deseja que tomemos a decisão consciente de tratar as pessoas com bondade e respeito, independentemente de nossas emoções ou das circunstâncias.

Na correria da vida diária, é fácil perdermos o foco e nos

sentirmos frustradas. Os nossos filhos veem como nós somos "de verdade", e não a nossa versão melhorada, que muitas vezes escolhemos mostrar às outras pessoas. Nós somos seres humanos imperfeitos, lutando para administrar a nossa vida da melhor maneira possível — apesar de, muitas vezes, falharmos nisso. Quando estamos distraídas ou decepcionadas, nós podemos deixar de compartilhar uma palavra ou atitude de bondade. Isso prejudica aqueles à nossa volta, por certo; entretanto, prejudica, ainda mais, a nós mesmas.

Neste dia, desacelere e fique atenta às pessoas que estão à sua volta e que precisam de um sorriso, de palavras gentis e de uma mão amiga — a começar pela sua família.

Se temos o verdadeiro amor de Deus em nosso coração, mostraremos isso com a nossa vida. E não será necessário andar pelo mundo inteiro proclamando essa verdade: nós a mostraremos em tudo aquilo que dizemos e fazemos.

—

*D. L. Moody*

## *Dicas para mães ocupadas*

**Bondade todos os dias.** *A bondade deve fazer parte de nossa vida todos os dias, e não apenas naqueles momentos em que nos sentimos bem. Não tente ser bondosa só por uma parte do tempo, nem pratique o bem só em relação a algumas pessoas. Em vez disso, tente ser gentil o tempo todo e procure agir com bondade para com todas as pessoas que cruzarem o seu caminho. Lembre-se de que a regra de ouro começa com você!*

— — — — — — — — —

*Hoje, quando falar com seus filhos, troque o sarcasmo pela bondade.*[25]

*iMOM.com*

# * O tempo da mamãe *

*Quais atos de bondade pouco usuais você pode praticar com seus filhos?*

# *Entusiasmo para a jornada*

*Não se associe com quem vive de mau humor, nem ande em companhia de quem facilmente se ira; do contrário, você acabará imitando essa conduta.*

*Provérbios 22.24-25*

O entusiasmo, assim como outras emoções humanas, é contagiante. Se você andar com pessoas animadas e cheias de esperança, a alegria delas provavelmente elevará o seu espírito. Se, ao contrário, você passar muito tempo na companhia de pessoas pessimistas e céticas, os seus pensamentos tendem a ser negativos também.

Portanto, mãe, ao refletir sobre como pode melhorar a sua saúde espiritual e emocional, observe se você está convivendo com pessoas positivas. Se estiver, então você pode ter certeza de que está desfrutando de um dom inestimável: o do incentivo.

Procure, no dia de hoje, motivos para celebrar as incontáveis bênçãos de Deus em sua vida. E, ao fazer isso, convide pessoas otimistas para se juntarem a você nessa celebração. Você será abençoada pela companhia delas e, por sua vez, também se tornará uma luz positiva para aqueles que precisam — e também para os seus próprios filhos.

O otimismo é a fé que leva à realização.
Nada pode ser feito sem esperança e confiança.

—

*Helen Keller*

## *Dicas para mães ocupadas*

*Não espere que o entusiasmo a encontre. Procure-o, você mesma. Enxergue a sua vida e os seus relacionamentos como aventuras emocionantes. Não espere que a vida fique mais alegre por conta própria; tempere-a com entusiasmo você mesma.*

— — — — — — — — —

*Entusiasme-se com a sua fé. John Wesley escreveu: "Não é preciso anunciar um incêndio. Incendeie-se por Deus, e o mundo se aproximará para vê-lo pegar fogo." Quando você se permite entusiasmar-se imensamente por causa da sua fé, as outras pessoas o percebem — assim como Deus.*

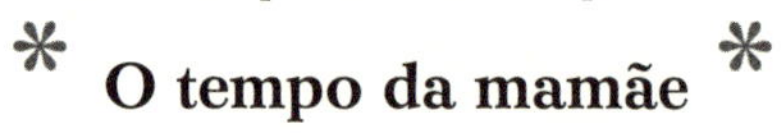

# O tempo da mamãe

*Existe alguma coisa negativa em sua vida que você possa alterar ou da qual possa se livrar? E se você pudesse eliminar essas coisas negativas, qual seria o impacto disso em sua família?*

# O poder da perseverança

*Vocês precisam perseverar, de modo que, quando tiverem feito a vontade de Deus, recebam o que ele prometeu.*

*Hebreus 10.36*

Alguém disse, certa vez: "A vida é uma maratona, não uma corrida." O mesmo pode ser dito sobre a maternidade. Ela exige coragem, perseverança, determinação e, claro, uma fonte inesgotável de amor materno.

Jesus concluiu aquilo que começou. Apesar da tortura que sofreu e a despeito do horror e da vergonha da cruz, Jesus permaneceu firme em sua fidelidade a Deus, até que pudesse bradar: "Está consumado!" Nós, da mesma forma, devemos permanecer fiéis, especialmente durante os tempos difíceis.

Você está cansada? Sente-se como se nunca fosse conseguir ter uma boa noite de sono? Pois então peça força a Deus. Você está desanimada? Talvez, no fundo, você deseje que alguém — qualquer pessoa — simplesmente pergunte: "Como foi o seu dia?". Contudo, pode ter certeza de que Deus se importa com o seu dia. Você está se sentindo frustrada, ou se desdobrando para tentar resolver os problemas de todo mundo? Ore para que Deus lhe mostre quais são as suas responsabilidades e entregue tudo aquilo que não o for, nas mãos dele. Com a ajuda do Senhor, você encontrará força para ser o tipo de mãe que alegra o coração do Pai.

Em tempos de dúvida ou dificuldade, você deve perseverar pacientemente e confiar nas mãos poderosas do seu Criador. Qualquer que seja o seu problema, ele pode resolver — e o seu trabalho é perseverar até que isso aconteça.

Deus conhece a nossa situação; ele não nos julgará como se não tivéssemos dificuldades a serem vencidas. O importante é a sinceridade e a perseverança da nossa vontade de vencê-las.

—

*C. S. Lewis*

## *Dicas para mães ocupadas*

*A próxima vez que a sua coragem for testada até o limite, lembre-se de que Deus está tão perto quanto o ar que você respira e de que ele oferece força e consolo aos seus filhos. Ele é o seu escudo, o seu protetor e o seu libertador. Busque ao Senhor em seus momentos de necessidade e receba o seu consolo. Qualquer que seja o seu desafio, qualquer que seja o seu problema, Deus pode dar a força de que você precisa para perseverar — e é exatamente isso que você deve pedir a ele.*

— — — — — — — — —

*Estabeleça tarefas para todos. Seja para ajudar a separar a roupa suja, tirar o lixo ou guardar as coisas espalhadas. Há tarefas domésticas em que até as crianças pequenas podem ajudar.*[26]

*Parents.com*

## * O tempo da mamãe *

*Reflita sobre pessoas que passaram por dificuldades, mas se recusaram a desistir. Anote o nome delas e converse com seus filhos sobre as recompensas da perseverança.*

# *Ações de graça neste momento*

*Deem graças em todas as circunstâncias, pois esta é a vontade de Deus para vocês em Cristo Jesus.*

*1Tessalonicenses 5.18*

Como uma mãe ocupada que leva as suas responsabilidades a sério, você, às vezes, pode se encontrar sobrecarregada pelas exigências da vida diária e, naturalmente, se esquecer de parar para agradecer ao Criador por todas as bênçãos recebidas. Se, porém, as pressões da maternidade fizeram com que se tornasse um hábito ignorar as dádivas de Deus em sua vida, então é hora de repensar tais hábitos, assim como as suas obrigações e prioridades.

Sempre que desacelera e expressa a sua gratidão sincera ao Pai, você enriquece sua própria vida e a vida daqueles a quem ama. Você conhece muito bem o sentimento caloroso que preenche o seu coração quando o seu filho olha em seus olhos e diz: "Obrigado, mamãe." Bem, Deus sente a mesma coisa quando ouve a gratidão de seus filhos.

Permita que palavras de ação de graça façam parte da sua rotina diária. Sim, Deus a abençoou além da medida e você deve tudo a ele, inclusive o seu louvor eterno, todos os dias, começando por hoje.

Ação de graça ou reclamação — essas palavras contrastam duas atitudes diferentes da alma dos filhos de Deus em relação à maneira como o Senhor lida com eles. A alma repleta de gratidão é capaz de encontrar consolo em tudo; já uma cheia de reclamação não é capaz de encontrá-lo em lugar algum.

—

*Hannah Whitall Smith*

## *Dicas para mães ocupadas*

*Ensine seus filhos a contar as suas bênçãos! Nós vivemos em uma sociedade materialista, onde as crianças podem deixar de dar valor às bênçãos recebidas das mãos do Senhor, sobretudo aquelas mais singelas. O seu trabalho, como mãe responsável, é ajudar a fazer seus filhos entenderem quão ricamente foram abençoados.*

— — — — — — — — —

*As crianças que possuem um coração cheio de paz interior, compaixão e aceitação serão, no futuro, canais de paz na Terra. Quando sentimos o que outras pessoas sentem, as nossas diferenças perdem a importância, e o amor se torna presente todos os dias. Mostre que você se importa todos os dias, e, todas as noites, faça uma oração.*[27]

*Justmommies.com*

## * O tempo da mamãe *

*Quais são algumas das bênçãos que o Senhor derramou sobre a sua família? Os seus filhos compreendem com clareza a magnitude dessas bênçãos?*

# A sabedoria para não julgar

*Não julguem e vocês não serão julgados. Não condenem e não serão condenados. Perdoem e serão perdoados.*

*Lucas 6.37*

Certa vez, eu li em um cartão a seguinte frase: "Eu consigo identificar uma pessoa crítica só de olhar para ela." Muito bem, mãe, responda com sinceridade: Você é uma dessas pessoas que julgam os outros com facilidade? Mesmo que não diga nada a respeito, você julga os outros em pensamento? Em caso afirmativo, está na hora de fazer mudanças radicais na maneira como você enxerga o mundo e as pessoas que o habitam.

Ao considerar as falhas alheias, você deve lembrar-se disto: quando se trata de julgamento, Deus não precisa de nossa ajuda (e nem a deseja). Por quê? Porque o Senhor é perfeitamente capaz de julgar o coração humano, enquanto nós não o somos.

Nenhum de nós consegue cumprir todas as leis de Deus e, portanto, ninguém está qualificado para "atirar a primeira pedra". Felizmente o Senhor nos perdoou e nós devemos, da mesma maneira, perdoar as outras pessoas. Vamos, então, deixar de julgar os membros de nossa família, os nossos amigos e os nossos irmãos da igreja. Em vez disso, vamos perdoá-los e amá-los, da mesma forma como Deus faz com cada um de nós.

Os cristãos pensam que são promotores
ou juízes, quando, na verdade, Deus nos
chamou para sermos testemunhas.

—

*Warren Wiersbe*

## *Dicas para mães ocupadas*

*Na mesma medida em que julgar os outros, você será julgada. Portanto, você deve se esforçar o máximo possível para não julgar as pessoas por intermédio de palavras ou, até mesmo, de pensamentos.*

— — — — — — — — —

*Hábitos saudáveis são a base para uma boa administração do tempo, rotinas estáveis para a manhã e a noite não são exceção. Decida, todas as manhãs, o que vocês irão comer no jantar (se isso já não estiver decidido), lave toda a roupa suja acumulada e guarde toda a louça. Toda noite, arrume a casa, lave a louça e organize tudo que será necessário para as crianças na manhã seguinte, como as suas mochilas e lancheiras para a escola.*[28]

*GoodHousekeeping.com*

# * O tempo da mamãe *

*Você sente que é, às vezes, muito crítica? Se for o caso, quais recompensas você acha que teria se conseguisse julgar menos as pessoas?*

# Dê uma boa gargalhada!

*Para tudo há uma ocasião certa; há um tempo certo para cada propósito debaixo do céu: (...) tempo de chorar e tempo de rir, tempo de prantear e tempo de dançar.*

*Eclesiastes 3.1 ,4*

As responsabilidades maternas não devem ser tão pesadas a ponto de nos esquecermos de dar algumas risadas. O riso é remédio para a alma; mas, às vezes, em meio ao estresse da vida contemporânea, nós nos esquecemos de tomar o nosso remédio. Em vez de enxergarmos o mundo com uma mistura de otimismo e humor, nós permitimos que as preocupações e distrações nos roubem a alegria que Deus deseja que tenhamos em nossa vida.

Você será uma pessoa muito infeliz se não for capaz de rir de si mesma e de algumas de suas situações. Melhor ainda, se você tiver uma amiga com o mesmo senso de humor que o seu, para que as duas possam desfrutar de boas gargalhadas, daquelas que fazem chorar de tanto rir e que mais ninguém é capaz de entender além de vocês. Ao cumprir as suas atividades diárias, encare-as com um sorriso no rosto e esperança no coração. Ria em todas as oportunidades que tiver — especialmente com os seus filhos. Afinal, Deus não criou o riso à toa...

*Eu quero encorajá-la a se descontrair quando estiver com a sua família. Ria um pouco; talvez isso ajude a libertá-la.*

—

*Dennis Swanberg*

## *Dicas para mães ocupadas*

*Se você não consegue enxergar alegria e humor no dia a dia, então você, provavelmente, não está prestando atenção às coisas certas. Existe um dizer bastante popular entre os fabricantes de rosquinhas, que diz: "Durante a jornada da vida, irmão, qualquer que seja a sua meta, fixe os olhos na borda da rosquinha e nunca no buraco em seu meio."*

— — — — — — — — —

*Um pouco de humor, um pouco de inovação, um pouco de criatividade e, francamente, aprender a habilidade de "esquecer e deixar para lá" são uma grande contribuição, para nos tornarmos mães mais felizes, realistas e tranquilas.*[29]

*FocusontheFamily.com*

## * O tempo da mamãe *

*Separe um tempo para escrever algumas coisas engraçadas ditas pelos seus filhos recentemente.*

Capítulo 31

# Conhecendo-o

*Parem de lutar! Saibam que eu sou Deus!*

*Salmo 46.10*

Você, às vezes, se pergunta se Deus está realmente com você, neste momento? Fica em dúvida sobre se ele ouve as suas orações, se entende os seus sentimentos ou se o Senhor conhece, de fato, o seu coração? Sempre que tiver esse tipo de dúvidas, lembre-se disto: Deus não tirou uma pausa para o café, nem mudou de cidade. Ele está bem aqui, neste exato segundo, ouvindo os seus pensamentos e orações. Com efeito, o Senhor vê cada passo que você dá.

Quando um casal está no início do namoro, eles desejam passar o máximo de tempo juntos para conhecerem um ao outro. Da mesma forma, você nunca conhecerá melhor a Deus se não passar tempo com ele. A Bíblia ensina que uma excelente maneira de conhecer ao Senhor é simplesmente ficar quieto e ouvir a sua voz.

Algumas pessoas preferem buscar a presença de Deus cedo pela manhã, antes de os filhos acordarem. Outras encontram seu refúgio dentro do quarto, em um cantinho do escritório ou, até mesmo, no banheiro. Em qualquer lugar e a qualquer hora em que você se aquietar e buscar a presença do Senhor, ele pode tocar o seu coração e renovar o seu espírito. Então, por que não deixar que ele faça isso agora mesmo? Se você deseja conhecê-lo de verdade, a melhor maneira para começar é por meio do silêncio.

No momento em que você acorda de manhã, todos os seus desejos e esperanças para o dia começam a se agitar dentro de você, como um animal selvagem. O seu primeiro dever, então, é abafar todos eles e prestar atenção àquela outra voz, assumir aquele outro ponto de vista, permitindo que aquela outra vida mais ampla, mais forte e mais tranquila flua através de você.

—

*C. S. Lewis*

## *Dicas para mães ocupadas*

*Se você deseja conhecer melhor a Deus, então converse mais frequentemente com ele. Quanto mais você falar com o Senhor, mais ele se revelará a você.*

— — — — — — — — —

*De que maneira nós devemos mostrar aos nossos filhos como viver segundo a vontade de Deus? São pequenos passos a cada dia. Precisamos mostrar e dizer, com alegria, as mesmas coisas todos os dias, repetidamente. Devemos ser transparentes com eles desde o início, para que não apenas entendam qual é o objetivo, como também desejem, eles mesmos, esse objetivo. E comece hoje, quer os seus filhos sejam pequenos quer já estejam mais altos do que você.*[30]

*FocusontheFamily.com*

## * O tempo da mamãe *

*Escreva algumas ideias específicas sobre como os seus filhos podem conhecer melhor a Deus.*

# O tempo de Deus

*Espere no SENHOR. Seja forte! Coragem!*
*Espere no SENHOR.*

*Salmo 27.14*

Se você está com pressa de que coisas boas aconteçam a você e à sua família, saiba que não é a única mãe que se sente dessa forma. No entanto, nós, às vezes, precisamos ter paciência. Aí está a palavra incômoda novamente: paciência. Não importa quantas vezes a ouvimos, ela nunca soa melhor ou mais viável do que da última vez.

Deus criou um mundo que se desenrola de acordo com o seu tempo, e não com o nosso — ainda bem que é assim! Nós, simples mortais, com uma visão extremamente limitada do contexto mais amplo da existência, provavelmente faríamos uma bagunça terrível em nossa vida. Deus sabe das coisas!

É claro que os planos do Senhor nem sempre acontecem como nós queremos nem na hora em que desejamos. No entanto, ainda assim, devemos confiar em nosso Pai benevolente e onisciente, enquanto esperamos pacientemente pela revelação de seus planos. Até que esses planos se tornem claros para nós, contudo, devemos viver pela fé e nunca perder a esperança, sabendo que os planos de Deus são sempre melhores. Sempre!

Se você deseja ouvir a voz de Deus com clareza, mas não tem certeza se a está ouvindo, então permaneça em sua presença até que isso mude. Muita coisa pode acontecer durante esse tempo de espera na presença do Senhor. Às vezes, ele transforma orgulho em humildade, e dúvida ele transforma em fé e paz.

—

*Corrie ten Boom*

## *Dicas para mães ocupadas*

*Confie no tempo de Deus: ele tem grandes planos reservados para a sua vida. Portanto, confie nele e espere, pacientemente, pela realização desses planos. E lembre-se: o tempo de Deus é melhor! Por isso, não se permita desanimar se as coisas não acontecerem exatamente como você deseja. Em vez de se preocupar em relação ao seu futuro, entregue-o ao Senhor, pois ele sabe exatamente do que você necessita e quando você precisa.*

— — — — — — — — —

*Hoje em dia, existe um aplicativo para tudo. Aproveite a tecnologia para ajudá-la a economizar tempo e manter a sua sanidade.*[31]

*Sheknows.com*

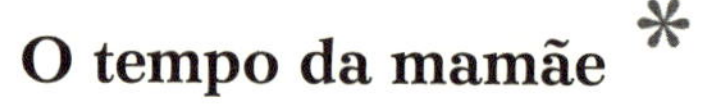

## O tempo da mamãe

*Faça uma pequena lista com algumas coisas que você gostaria de realizar nos próximos anos. Você está impaciente em relação a essas coisas ou disposta a confiar no tempo de Deus?*

Capítulo 33

# *Quando você tem dúvidas*

*Se algum de vocês tem falta de sabedoria, peça-a a Deus, que a todos dá livremente, de boa vontade; e lhe será concedida. Peça-a, porém, com fé, sem duvidar, pois aquele que duvida é semelhante à onda do mar, levada e agitada pelo vento.*

*Tiago 1.5-6*

Se você é uma mãe que nunca teve dúvidas em relação à sua fé, então pode deixar de ler este capítulo e pular para o próximo. Se, porém, você está entre as pessoas que se sentem atormentadas por dúvidas sobre a sua fé ou o seu Deus, continue a leitura.

Até alguns dos cristãos mais devotos se sentem, às vezes, sobrecarregados por fases de desânimo e dúvida. No entanto, mesmo quando nos sentimos distantes de Deus, ele nunca está muito longe de nós. O Senhor está sempre conosco — sempre disposto a substituir as nossas dúvidas por consolo e segurança.

Sempre que você se sentir cheia de dúvidas, compartilhe isso com o Senhor, até porque ele já sabe, de qualquer maneira. Tente se concentrar em situações nas quais ele a ajudou, no passado; ocasiões em que ele mostrou toda a sua fidelidade e das quais você, talvez, tenha se esquecido. Então, você poderá ter certeza de que, na hora certa, Deus aquietará os seus medos, responderá às suas orações e restaurará a sua confiança.

Pode escrever o que eu digo. Deus nunca ignora aquele que o busca com sinceridade. Leve as suas dúvidas a Deus. Você pode não encontrar todas as respostas; mas, ao encontrar o Senhor, você encontrará aquele que as conhece.

—

*Max Lucado*

## *Dicas para mães ocupadas*

*Quando as dúvidas começam a surgir, como acontece de vez em quando, nós não precisamos nos desesperar. É como disse Sheila Walsh: "Lutar com Deus não significa que nós perdemos a nossa fé, e sim que estamos lutando por ela."*

— — — — — — — — —

*Pare de se comparar e comparar os seus filhos com outras pessoas. Assim como você não deve comparar os seus filhos com os filhos dos outros, não faça o mesmo em relação a você. Abandone qualquer necessidade que você possa sentir de se comparar a outras mães.*[32]

*Justmommies.com*

## * O tempo da mamãe *

*Quais são as dúvidas em relação a si mesma ou à sua família que você precisa entregar a Deus?*

# *Hora de se divertir*

*Por isso recomendo que se desfrute a vida, porque debaixo do sol não há nada melhor para o homem do que comer, beber e alegrar-se. Sejam esses os seus companheiros no seu duro trabalho durante todos os dias da vida que Deus lhe der debaixo do sol!*

*Eclesiastes 8.15*

Você é o tipo de mãe que reserva algum tempo do seu dia para desfrutar de verdade da vida e da sua família? A vida cristã não deve ser uma jornada cinzenta e entediante, cheia de regras e sem diversão alguma. Qualquer pessoa que pense assim entendeu tudo errado: Jesus veio para nos dar vida — uma vida abundante!

Você brinca de esconde-esconde com seus filhos, ou faz cabanas usando lençóis e cadeiras? Eu espero que sim. Afinal, você tem muitos motivos para celebrar. E, como Deus quis abençoá-la, você deveria relaxar e desfrutar de suas bênçãos. Se você acha que precisa fazer uma viagem de férias e gastar muito dinheiro para se divertir, saiba que as crianças, geralmente, guardam na memória as coisas mais simples — coisas como correr pelo quintal atrás de uma borboleta ou passar horas, durante um dia de chuva, desenhando. Você merece se divertir hoje! Então, mãe, o que você está esperando?

De onde vem essa ideia de que, se nós
estamos nos divertindo, então não estamos
fazendo algo que é da vontade de Deus? O Deus
que criou as girafas, as unhas de bebês recém-nascidos,
o rabinho de um filhote de cachorro, o canto
dos pássaros e a gargalhada de uma menininha tem senso de
humor. Não tenha dúvida disso.

—

*Catherine Marshall*

## *Dicas para mães ocupadas*

*Como você é cristã, há muitos motivos para celebrar. Faça, portanto, do dia de hoje — assim como de todos os dias de sua vida — um motivo para celebração, alegria e uma diversão boa e saudável.*

— — — — — — — — —

*Você não tem muito tempo para dedicar uma noite de diversão à família? As crianças ainda estão na idade em que precisam ir para a cama às oito? Planeje uma noite de diversão curta e agradável. Faça um planejamento e coloque-o em prática. Comece com uma refeição divertida. Depois, participem de uma rodada de jogos. Termine o jantar com uma sobremesa divertida.*[33]

*iMOM.com*

# * O tempo da mamãe *

*Que ideias você tem de atividades divertidas, que pode fazer com sua família nos próximos trinta dias? E que tal planejar aventuras maiores para o próximo ano?*

# *Vivendo sem medo*

*O próprio SENHOR irá à sua frente e estará com você; ele nunca o deixará, nunca o abandonará. Não tenha medo! Não desanime!*

*Deuteronômio 31.8*

Este mundo pode ser um lugar assustador, onde grandes perdas podem ser tão dolorosas e profundas que parece que nunca seremos capazes de nos recuperar. No entanto, com a ajuda de Deus e de nossas famílias e amigos, nós podemos, sim, nos reerguer e seguir adiante.

Talvez você esteja, neste momento, em uma fase muito difícil da vida. Quem sabe até mesmo pensando que todas as outras pessoas são felizes e não enfrentam nenhum problema. No entanto, não acredite sempre na fachada apresentada pelas pessoas. Muitas delas estão sofrendo e não deixam isso transparecer. Seja sincera com Deus sobre os seus sentimentos e, quem sabe, compartilhe o que você está sentindo com uma amiga próxima.

Este vale que você está atravessando não durará para sempre. Lembre-se das promessas de Deus, mesmo que não as sinta neste momento. "Mesmo quando eu andar por um vale de trevas e morte, não temerei perigo algum, pois tu estás comigo" (Salmo 23.4). Ele está com você. Ele é por você! E ele carregará a sua vida.

Eu encontrei o antídoto
perfeito para o medo.
Sempre que ele aparece, eu o
expulso com a oração.

—

*Dale Evans Rogers*

## *Dicas para mães ocupadas*

*Se você é discípula do Cristo ressurreto, tem todos os motivos no mundo — e no céu — para viver corajosamente. E é exatamente isso que você deve fazer.*

— — — — — — — — —

*Entregue e confie a Deus todos os problemas grandes demais para você resolver. Confie o futuro — o seu futuro — ao Senhor.*

— — — — — — — — —

*Ore. Só o seu Pai celestial sabe tudo o que você está enfrentando em um determinado momento e como isso está fazendo você se sentir. Ele se importa. Dedicar um pouco de tempo todos os dias para abrir o seu coração e a sua mente com o Senhor é uma forma muito eficaz de voltar ao caminho certo.*[34]

*iMOM.com*

## * O tempo da mamãe *

*De que você tem medo?*
*Você já compartilhou esses*
*medos com o Senhor?*

# Celebre!

*Alegrem-se sempre no Senhor.*
*Novamente direi: Alegrem-se!*
*Filipenses 4.4*

A sua mãe, ou a sua avó, tinha uma bela cristaleira cheia de pratos de porcelana imaculados, com xícaras e pires combinando? Aqueles, que só eram usados em "ocasiões especiais"? Talvez eles tenham sido usados uma ou duas vezes no ano, em reuniões familiares, como a ceia de Natal ou o domingo de Páscoa. Usar aquelas peças de vez em quando, certamente, fez com que elas lhe parecessem especiais, não é mesmo? Porém, todo dia pode ser um dia de celebração quando nos damos conta das possibilidades oferecidas por Deus.

A nossa responsabilidade — tanto como mães, quanto como

cristãs — é usar o dia de hoje para fazer a vontade de Deus e servir ao próximo. Quando fazemos isso, nós enriquecemos a nossa própria vida, assim como a vida daqueles que amamos. Se, portanto, você tem louça separada para "ocasiões especiais", guardada na cristaleira apenas para enfeitar, convide os seus filhos e anuncie que hoje será um dia de celebração! Prepare uma refeição saborosa que você sabe que eles irão gostar — e ainda que hoje seja apenas uma segunda-feira comum, é um motivo para celebrar!

Aproveite as pequenas coisas,
pois, um dia, você pode olhar
para trás e perceber que elas
eram as mais importantes.

—

*Robert Bault*

## *Dicas para mães ocupadas*

*Se você não sente vontade de celebrar, comece a refletir sobre as bênçãos de sua vida. Logo você se dará conta de que há muitos motivos para a alegria.*

— — — — — — — — —

*Quando você se alegrar com as bênçãos que recebeu de Deus e guardar suas promessas firmes, na mente e no coração, você será capaz de celebrar a vida.*

— — — — — — — — —

*Se você deseja se divertir e desfrutar de bons momentos na companhia de sua família, então é necessário que exista um motivo para isso. Algumas famílias são melhores que outras em momentos de celebração, mas nós podemos nos treinar a enxergar possíveis razões para celebrar.*[35]

*iMOM.com*

# * O tempo da mamãe *

*Quais realizações você e a sua família ainda não celebraram?*

# Prioridades do dia

*Jesus dizia a todos: Se alguém quiser acompanhar-me, negue-se a si mesmo, tome diariamente a sua cruz e siga-me. Pois quem quiser salvar a sua vida a perderá; mas quem perder a sua vida por minha causa, este a salvará.*

*Lucas 9.23-24*

"Devemos saber o que é prioridade." Essas palavras são fáceis de dizer, mas difíceis de praticar, especialmente para mães muito ocupadas. Por quê? Porque há muitas pessoas querendo a sua atenção.

Se você está tendo dificuldade para priorizar o seu dia, talvez isso se dê pelo fato de estar tentando organizar a sua vida de acordo com seus próprios planos e não com os propósitos de Deus. Talvez você seja o tipo de pessoa que gosta de anotar em uma lista, todas as suas obrigações do dia e ir riscando cada uma, conforme ela é cumprida. Ou, quem sabe, você não goste de listas e prefira fazer as coisas espontaneamente, torcendo para que consiga resolver tudo ao longo do dia.

No entanto, a melhor estratégia de todas é entregar todas as suas obrigações diárias nas mãos daquele que criou você. Peça a ajuda de Deus para realizar tudo o que precisa ser feito e abra mão das outras coisas que não são urgentes. Você, então, poderá enfrentar o dia com a certeza de que o mesmo Deus que criou todo o universo a partir do nada, a ajudará a priorizar as coisas em sua própria vida.

Sentimos grande alívio e satisfação
quando buscamos as prioridades de Deus
para nós em cada fase de nossa vida,
discernindo o que é "melhor" em meio
a muitas oportunidades boas — então,
podemos dedicar toda a nossa energia
a essa prioridade.

—

*Beth Moore*

## *Dicas para mães ocupadas*

*Se você não definir suas prioridades, não será bem-sucedida naquilo que faz. E não se esqueça de que definir as prioridades significa colocar Deus em primeiro lugar e a família, depois.*

— — — — — — — — —

*Quando você não pode dedicar grande quantidade de tempo para estar com seus filhos, você deve se certificar de que o tempo que passa com eles seja de qualidade. Os pequenos momentos são importantes. Gaste o seu tempo com sabedoria. Lembre-se, também, de ouvir com atenção aquilo que os seus filhos têm a dizer. Esteja realmente presente. Desligue o seu celular. Quando estiver em casa, esqueça o trabalho — não permita que ele a distraia mentalmente, atrapalhando o seu tempo em família.*[36]

*Justmommies.com*

## * O tempo da mamãe *

*

*Quais são as suas maiores prioridades?*
*Faça uma pequena lista delas.*

# *A sabedoria para ser generosa*

*Cada um dê conforme determinou em*
*seu coração, não com pesar ou por obrigação,*
*pois Deus ama quem dá com alegria.*
*2Coríntios 9.7*

Você é uma pessoa que dá com alegria? Se você é uma mãe que deseja verdadeiramente obedecer aos mandamentos de Deus, então deve ser uma dessas pessoas. Quando doamos, o Senhor não olha apenas para a qualidade da nossa oferta, mas, também, para a condição do nosso coração. Se você dá com generosidade e alegria, sem reclamar, então você obedece à Palavra de Deus. Se, porém, a sua oferta for feita com má vontade, ou a sua motivação para ofertar for egoísta, você estará desobedecendo ao Criador, mesmo que tenha dizimado segundo os princípios bíblicos.

Quando falamos em "dar", isso não significa sempre que a oferta deve ser em dinheiro. O tempo, por exemplo, é um recurso valioso, que pode ser dado em serviço aos outros. Você pode, por exemplo, sentir prazer em cozinhar uma refeição para uma família que acabou de ter um bebê, ou que esteja enfrentando alguma dificuldade. Fazer isso com alegria é tão importante para Deus quanto preencher um cheque. Não desvalorize aquilo que você pode ofertar às pessoas. No dia de hoje, mãe, encontre maneiras para ofertar com generosidade e alegria. O mundo precisa da sua ajuda e você precisa das recompensas espirituais que serão suas, quando ofertar com fidelidade. Além disso, os seus filhos aprenderão sobre dar alegremente ao observar você.

Nós não podemos fazer todas as coisas.
Existe, no entanto, algo mais valioso
do que investir o nosso tempo na
vida de outras pessoas?

—

*Elisabeth Elliot*

## *Dicas para mães ocupadas*

*Ser bondosa é algo que se aprende. E você é a professora e seus filhos, os alunos. A aula já começou desde que eles nasceram. As atitudes falam mais alto do que as palavras, e essa é uma das lições mais importantes que você pode ensinar.*

— — — — — — — — —

*Nunca é cedo demais para enfatizar a importância de ofertar. Quando a criança tem idade suficiente para depositar uma moeda na sacola de ofertas da igreja, nós, como pais, devemos ressaltar a obrigação que todos nós temos de compartilhar as bênçãos que recebemos de Deus com as outras pessoas.*

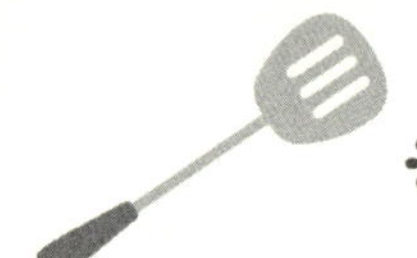



## O tempo da mamãe

*Quais são as pessoas que precisam da sua ajuda neste momento? Anote coisas específicas que você pode fazer por elas.*

# *Forças para este dia*

*Mas ele me disse: "Minha graça é suficiente para você, pois o meu poder se aperfeiçoa na fraqueza". Portanto, eu me gloriarei ainda mais alegremente em minhas fraquezas, para que o poder de Cristo repouse em mim.*

*2Coríntios 12.9*

Há dias em que nós acordamos completamente exaustas, não é mesmo? Passamos o dia cumprindo todas as nossas obrigações até que possamos, enfim, voltar para a cama, à noite. Busque a Deus quando entrar no banho (ou quando estiver fazendo o café) e confesse a ele que você se sente fraca. Ele tem prazer em fortalecer os seus filhos e filhas. O Senhor ama você, e ele a capacitará para enfrentar este dia — de hora em hora, de minuto a minuto.

Quando entregamos os nossos pensamentos e orações ao Pai

celestial, ele nos concede energia e compreensão para que sejamos capazes de completar os itens mais importantes da nossa lista de afazeres. E, então, depois de darmos o nosso melhor, devemos colocar todo o resto nas mãos de Deus. Ele pode nos ajudar — assim ele fará!

Deus não nos concede força e incentivo como um farmacêutico que preenche uma prescrição de medicamento. O Senhor não promete nos dar algo para tomar a fim de lidarmos com os nossos momentos de fraqueza. Ele nos promete ele mesmo. Isso é tudo. E isso é mais do que suficiente.

—

*Charles Swindoll*

Mas aqueles que esperam no SENHOR renovam as suas forças. Voam alto como águias; correm e não ficam exaustos, andam e não se cansam.

—

*Isaías 40.31*

## *Dicas para mães ocupadas*

*O exercício físico traz um grande alívio para o estresse e melhora bastante o humor. No entanto, muitas vezes as mães estão muito ocupadas com seus filhos para ir até a academia de ginástica. Se você trabalha fora, use a sua hora de almoço para fazer algum exercício, ou faça uma caminhada rápida com uma colega. Se você é dona de casa, leve o seu filho para passear no carrinho, ou aproveite para fazer alguns exercícios quando ele estiver cochilando.*[37]

*Bettermommies.com*

— — — — — — — — —

*Faça a seguinte experiência: durante uma semana, vá para a cama uma hora antes do horário de costume. Não fique desperdiçando tempo em frente à televisão, ou na internet. Veja como você terá mais energia no início da próxima semana.*[38]

*webmd.com*

## O tempo da mamãe

*Lembre-se de momentos em sua vida nos quais Deus veio em seu socorro. Anote-os e agradeça-lhe (novamente) pela sua força.*

Capítulo 40

# Controlando o seu humor

*Meus amados irmãos, tenham isto em mente: Sejam todos prontos para ouvir, tardios para falar e tardios para irar-se, pois a ira do homem não produz a justiça de Deus.*

*Tiago 1.19-20*

A maternidade é gratificante, mas toda mãe sabe que pequenas frustrações podem se acumular e causar uma enorme explosão de raiva. Nenhuma família é perfeita e até mesmo a paciência da mãe mais amorosa pode chegar ao limite.

O seu humor será o seu mestre ou o seu servo. Ou você o controla, ou ele a controla. Além disso, a medida com que você permite que a ira controle a sua vida é que vai determinar, em um grau surpreendente, a qualidade dos seus relacionamentos com as outras pessoas e com Deus.

Se você permite que a ira seja uma presença constante em seu lar, então deve orar por sabedoria, paciência e por um coração tão cheio de perdão, que não exista espaço para a amargura. Deus a ajudará a dar fim a suas birras, se você pedir a ele — isso é uma coisa boa, pois a ira e a paz não podem coexistir na mesma mente. Se você definir o tom e o humor de sua casa, seus filhos aprenderão a lidar melhor com as suas próprias frustrações.

Portanto, na próxima vez que você se sentir tentada a perder a paciência por causa de pequenas inconveniências da vida, pense melhor. Volte-se, em vez disso, para Deus. Afaste-se da ira, do ódio, da amargura — e arrependa-se. Ele a espera de braços abertos, pacientemente.

Fique sozinha. Coloque-se de joelhos e
simplesmente levante suas mãos ao Senhor e diga: "Senhor,
aqui está a minha ira. No nome
de Jesus Cristo, eu a entrego sob a tua autoridade.
Pela tua graça, eu não a pegarei de volta."
É algo incrível. Trata-se de uma atitude
simples e pequena; porém, Deus ouve esse
tipo de oração e ama responder a elas.

—

*Elisabeth Elliot*

## *Dicas para mães ocupadas*

**Não coloque lenha na fogueira:** *quando os seus filhos ficarem irritados ou chateados, você, provavelmente, terá tendência a se irritar e se chatear também. Pois resista a essa tentação. Como a pessoa adulta da família, cabe a você permanecer calma, mesmo quando as pessoas menos maduras da casa não conseguirem fazer o mesmo.*

— — — — — — — — —

*Conseguir fazer com que seus filhos (e até você mesma) saiam de casa pela manhã pode ser difícil. Organize tudo o que for possível na noite anterior, para facilitar. Ao fazer isso, você diminuirá o caos da manhã seguinte, quando todos estão mais cansados e irritados.*[39]

*Sheknows.com*

## * O tempo da mamãe *

*Quais são as frustrações da vida diária que parecem irritá-la com frequência? Existe alguma coisa que você possa fazer para evitar isso?*

# Sem culpa

*Portanto, agora já não há condenação para os que estão em Cristo Jesus, porque por meio de Cristo Jesus a lei do Espírito de vida me libertou da lei do pecado e da morte.*

*Romanos 8.1-2*

Todos nós cometemos erros. Às vezes, as nossas falhas são resultado da nossa própria falta de visão. Em outras ocasiões, nós somos pegas em situações que estão além da nossa capacidade ou controle. Sob qualquer uma dessas circunstâncias, podemos experimentar intensos sentimentos de culpa. No entanto, Deus tem uma resposta para a culpa que sentimos — essa resposta, é claro, é o seu perdão. Se o Senhor já nos perdoou, por que, então, continuamos a andar com a culpa acorrentada aos nossos pés?

Nós nos roubamos da paz e da alegria que poderíamos sentir hoje quando permanecemos presos a um erro ou pecado do passado, como se a nossa penitência fosse capaz de pagar pelo que foi cometido. Jesus já pagou por tudo!

Quando pedimos perdão ao nosso Pai celestial, ele nos perdoa completamente e sem reservas. Cabe a nós, então, o difícil trabalho de nos perdoarmos da mesma maneira que Deus nos perdoou: completa e incondicionalmente.

Se você está se sentindo culpada, então é hora de fazer uma limpeza especial — uma limpeza da mente e do coração. E comece-a AGORA!

Não continue preso à sua culpa nem
aos seus medos. Lembre-se de que
a penalidade pelos seus pecados já foi
completamente paga por Cristo.

—

*Billy Graham*

## *Dicas para mães ocupadas*

*Se você pediu perdão a Deus, então, já está perdoada. Você, no entanto, já se perdoou? Se ainda não o fez, este é o melhor momento para isso.*

— — — — — — — — —

*O mesmo perdão que você oferece ao seu filho quando ele erra, está disponível para você também por meio do seu Pai celestial, cheio de amor e graça. Depois que você confessar e pedir perdão, confie no Senhor e aceite o seu perdão, usando-o como inspiração para viver de modo que a agrade no futuro. A culpa não é benéfica e não faz de você uma mãe melhor; o que traz essa melhora é o aprendizado e o amadurecimento!*[40]

*iMOM.com*

## * O tempo da mamãe *

*Lembre-se de situações em que Deus a perdoou, mas você não se perdoou. Escreva um pouco sobre o que você pensa a respeito do perdão do Senhor e da sua dificuldade para aceitá-lo.*

# Encontrando esperança

*Que o Deus da esperança os encha de toda alegria e paz, por sua confiança nele, para que vocês transbordem de esperança, pelo poder do Espírito Santo.*

*Romanos 15.13*

Nós, às vezes, não nos sentimos muito esperançosas, seja por causa de circunstâncias desanimadoras ou simplesmente por uma perspectiva sombria de nossa parte. No entanto, a esperança é mais do que uma simples emoção; ela é uma disciplina, uma determinação em acreditar na capacidade que Deus tem para nos amar e cuidar de nós.

Quando uma mulher que sofria buscou a cura apenas ao tocar na barra das vestes de Jesus, ele disse: "Ânimo, filha, a sua fé a curou!" (Mateus 9.22). A mensagem aos cristãos é bastante clara: se desejamos ser curados por Deus, nós devemos viver pela fé.

Se, ultimamente, você se encontra caindo nas armadilhas espirituais da preocupação e do desânimo, ou apenas se sente desiludida com a vida, busque o toque de cura de Jesus e as palavras encorajadoras de irmãos em Cristo. Cercar-se de pessoas positivas pode fazer toda a diferença nessas horas. A sua esperança está em Deus — o Senhor jamais a abandonará e ele sempre cumpre as suas promessas.

Você pode olhar para o futuro com esperança,
pois chegará o dia em que não
haverá mais separação, cicatrizes ou
sofrimentos na casa do seu Pai.
É a casa dos nossos sonhos!

—

*Anne Graham Lotz*

## *Dicas para mães ocupadas*

*Se você está passando por momentos difíceis, uma atitude sábia é começar a dedicar mais tempo a Deus. Se você fizer a sua parte, o Senhor fará a dele. Portanto, nunca tenha medo de esperar — ou de pedir — um milagre.*

— — — — — — — — —

*Se você se encontrar em uma situação difícil durante esta semana, mude o seu foco. Em vez de se deter naquilo que está dando errado, concentre-se nos dons que Deus colocou em você. Uma oração que me ajudou na semana passada, foi pedir ao Senhor um coração disposto a servir com alegria, de modo que, independentemente do que acontecesse durante o dia, os meus olhos estivessem abertos para oportunidades de abençoar outras pessoas.*[41]

*FocusontheFamily.com*

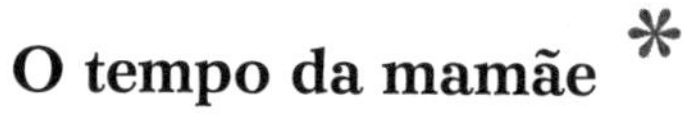

# O tempo da mamãe

*Quais são os seus sonhos e*
*as suas esperanças?*
*Você confia no tempo de*
*Deus para realizá-los?*

# *Qual é o seu talento?*

*Não negligencie o dom que foi dado a você.*

*1Timóteo 4.14*

Toda mulher possui dons e talentos especiais, assim como oportunidades — você não é exceção. Deus a criou com habilidades especiais que devem ser usadas para a glória dele — para fazê-la sorrir e se alegrar também!

Quando você for tentar descobrir qual é o seu talento, por favor, não se compare a outras mães. Todo mundo é diferente. Uma mãe pode ser ótima para planejar e organizar eventos, criar comitês ou elaborar planilhas no Excel, enquanto outra pode ser aquela mulher habilidosa para fazer trabalhos artesanais, como lindos centros de mesa, usando apenas pedaços de tecido e garrafas pet recicladas. Aproveite o dia de hoje, mãe, para aceitar o seguinte desafio: valorize o talento que o Senhor lhe deu! Nutra-o, ajude-o a crescer e compartilhe-o com o mundo. Ao fazer isso, você também pode ajudar seus filhos a descobrirem quais são os dons e talentos que o Senhor colocou neles. Graças a Deus por ter feito cada uma de nós única e especial!

Nem todos possuem uma energia
ilimitada ou um talento especial. Nós não
somos todos abençoados com um grande intelecto, beleza
física excepcional ou uma abundante
força emocional. No entanto, todos nós
recebemos a mesma capacidade de sermos fiéis.

—

*Gigi Graham Tchividjian*

## *Dicas para mães ocupadas*

*É claro que você deseja ajudar seus filhos a descobrirem os seus talentos escondidos — e aqueles não tão escondidos assim. Uma boa maneira de começar isso é observando quais atividades ou assuntos são mais divertidos para eles. A brincadeira de hoje pode tornar-se a busca apaixonada de amanhã.*

— — — — — — — — —

*Quando estamos fazendo algo que amamos de verdade, o tempo parece voar. É algo maravilhoso; nós nos sentimos completamente vivas. Quando fazemos algo de que realmente gostamos, desenvolvemos aquilo que nos interessa e nos envolvemos com aquilo que nos faz feliz, e, assim, a nossa vida ganha significado.*[42]

*Live.FamilyEducation.com*

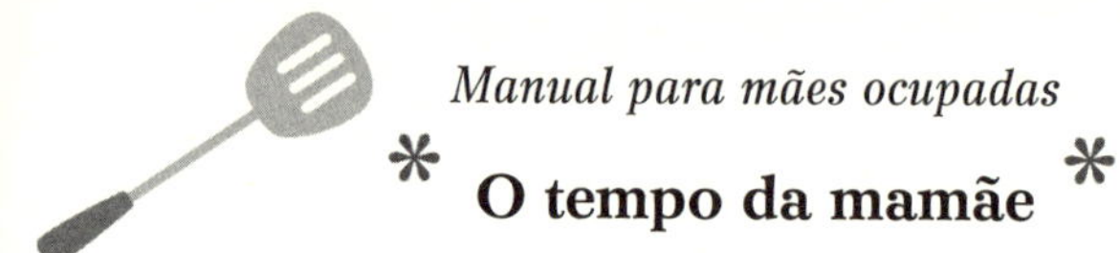

## * O tempo da mamãe *

* *Reflita sobre os seus talentos e oportunidades. De que maneira você pode usar os dons de Deus para realizar os seus sonhos e servir ao próximo?*

Capítulo 44

# *Fazendo as pazes com o passado*

*Esqueçam o que se foi; não vivam no passado.*
*Vejam, estou fazendo uma coisa nova!*
*Ela já está surgindo! Vocês não a reconhecem?*
*Até no deserto vou abrir um caminho*
*e riachos no ermo.*

*Isaías 43.18-19*

Existem coisas em seu passado que a assombram? Você guarda memórias de fatos e situações que você, simplesmente, não consegue esquecer? Se você está atolada na areia movediça da culpa e do remorso, está na hora de planejar a sua fuga. Como você pode fazer isso? Aceitando o que já passou e confiando em Deus em relação ao que ainda está por vir.

Faz parte da natureza humana a dificuldade de esquecer as decepções do passado. Além disso, é fato que o Diabo adora nos fazer lembrar dos erros que cometemos, tudo faz para nos manter fracas quando nos sentimos derrotadas. Se, porém, você verdadeiramente concentrar as suas esperanças e energias no futuro, então vai encontrar maneiras de aceitar o passado, não importa quão difícil isso seja.

Então, mãe, aqui vai um conselho poderoso: se você ainda não fez as pazes com o seu passado, hoje é o dia para declarar o fim de todo sentimento de culpa. Desejar poder voltar no tempo para mudar as coisas não ajuda em nada. É inútil. Siga em frente e, a partir de agora, concentre os seus pensamentos no futuro glorioso que Deus tem reservado para você.

O ontem é apenas experiência,
porém o amanhã reluz cheio de
propósito — o hoje é a ponte que
nos leva de um ao outro.

—

*Barbara Johnson*

## *Dicas para mães ocupadas*

*O passado já passou! Então não gaste suas energias com ele. Se você está focada no passado, é hora de mudar de foco. Não faça do passado sua morada — mude-se para uma nova habitação, onde possa encontrar felicidade e esperança.*

— — — — — — — — —

*Coloque lembretes pela casa. Pendure um calendário da família, para não perder o controle de nada: reuniões de escola, consultas médicas e até noites românticas com seu marido. Deixe sempre uma lista de compras do mercado na geladeira. Compre um pequeno quadro e pendure-o na cozinha, para anotar suas tarefas da semana.*[43]

*Parents.com*

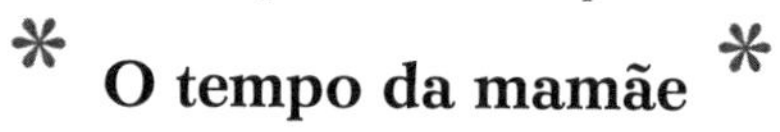

# O tempo da mamãe

*Quais são as coisas que você têm tido dificuldade de aceitar? Com que frequência você pede ajuda a Deus para aceitar o passado e seguir em frente?*

Capítulo 45

# Presente de Deus para você: os seus filhos

*Instrua a criança segundo os objetivos*
*que você tem para ela, e mesmo com o passar*
*dos anos não se desviará deles.*

*Provérbios 22.6*

Todo mundo sabe que os filhos são bênçãos de Deus. Como mãe, foi confiado a você um tesouro inestimável por parte do Senhor: o seu filho. Cada criança é diferente e única — portanto, diferentes filhos exigirão abordagens diversas para sua criação. Não existe receita para criar vários filhos diferentes — mesmo aqueles que pertencem à mesma família.

A coisa mais importante que você pode fazer pelos seus filhos é orar. E orar de maneira específica. Ore por coisas que são pequenas, porém relevantes, como o seu dia na escola — para que eles se saiam bem durante os testes e apresentações escolares, por exemplo — e ore, também, por coisas grandes e futuras, como a direção de Deus para a vida deles. Peça ao Senhor que os oriente na escolha de sua carreira e, até mesmo, na escolha de seu futuro cônjuge, que eles ainda nem conheceram.

Mães atenciosas como você compreendem a importância de criar os filhos com amor, disciplina e Deus. Ao fazer do Senhor o foco do lar, as mães amorosas oferecem uma herança inestimável aos seus filhos — uma herança de esperança, amor e sabedoria.

Ore pelos seus filhos hoje! Interceda de forma específica por cada detalhe da vida deles, por menor que pareça ser neste momento.

Os filhos não são convidados ocasionais
em nosso lar. Deus os emprestou
a nós temporariamente, para que nós os
amemos e lhes ensinemos os valores sobre
os quais eles construirão sua
vida no futuro.

—

*James Dobson*

## *Dicas para mães ocupadas*

*Criar filhos é difícil, demorado, desgastante e... profundamente gratificante! Simplificando, os seus filhos são maravilhosas bênçãos de Deus. Além disso, a sua oportunidade de ser mãe é mais uma bênção, pela qual você deveria ser muito grata.*

— — — — — — — — —

*Tente isto: olhe para o seu filho e sorria. Continue sorrindo. Se ele perguntar por que você está sorrindo, responda: "É porque eu sou muito feliz por ser sua mãe."*[44]

*iMOM.com*

## * O tempo da mamãe *

*Faça uma lista com ideias criativas sobre como você pode mostrar aos seus filhos que eles são amados.*

Capítulo 46

# Vencendo o fracasso

*Pois ainda que o justo caia sete vezes, tornará a erguer-se.*

*Provérbios 24.16*

As decepções e os fracassos ocasionais da vida são inevitáveis. Esses contratempos são simplesmente o preço que nós devemos pagar de vez em quando pela nossa disposição para assumir riscos quando seguimos os nossos próprios sonhos. No entanto, mesmo quando sofremos amargas decepções, jamais devemos perder a fé.

Durante a maternidade, você já deve ter fracassado. Saiba, porém, que você não é um fracasso como mãe. Apenas está longe de ser perfeita, assim como seus filhos e os outros seres humanos. O importante é aprender com os seus erros. Zig Ziglar disse, com muita sabedoria: "Se você aprender com a sua derrota, então você não terá perdido de verdade."

O texto de Hebreus 10.36 aconselha: "Vocês precisam perseverar, de modo que, quando tiverem feito a vontade de Deus, recebam o que ele prometeu." Essas palavras nos lembram que, se nós perseverarmos, receberemos, um dia, as recompensas que Deus nos prometeu. Enquanto isso não acontece, porém, ainda estamos esperando o cumprimento dos planos do Senhor para a nossa vida — podemos descansar na certeza de que o nosso Criador pode nos ajudar a vencer qualquer obstáculo, mesmo aqueles que nos parecem intransponíveis.

Uma das maneiras pela qual Deus nos renova<br>depois que enfrentamos alguma derrota é por intermédio<br>da bênção da comunhão cristã.<br>O simples fato de compartilharmos da alegria<br>de pequenas atividades com os irmãos em<br>Cristo, pode ter um efeito de cura<br>em nosso coração.

—

*Anne Graham Lotz*

## *Dicas para mães ocupadas*

*Quase todo grande fracasso da vida — seja em relação a projetos pessoais, ao amor, à saúde, ao trabalho ou a qualquer outra coisa — é, simplesmente, o resultado de vários pequenos erros ao longo do caminho. Esses pequenos erros se acumulam, se deixarmos. Portanto, não deixe que isso aconteça.*

— — — — — — — — —

*Aprenda a dizer não. Um dos motivos pelos quais as mães são tão ocupadas é porque elas têm dificuldade de dizer não. Você não precisa dizer não para tudo; mas, se você está se sentindo estressada e sobrecarregada, então é porque está na hora de se colocar em primeiro lugar e começar a fazê-lo.*[45]

*JustMommies.com*

# * O tempo da mamãe *

*Quais são as suas maiores decepções na vida? O que você aprendeu com elas?*

# *Ouvindo ao Senhor*

*As minhas ovelhas ouvem a minha voz;*
*eu as conheço, e elas me seguem. Eu lhes dou a*
*vida eterna, e elas jamais perecerão;*
*ninguém as poderá arrancar da minha mão.*

*João 10.27-28*

Às vezes, Deus fala alto e claramente. Contudo, ele fala mais frequentemente em voz baixa — se você tiver sabedoria, estará ouvindo atentamente quando ele falar. Para que isso aconteça, você precisa dedicar tempo, diariamente, para estar na presença do Senhor, estudando a sua Palavra e sentindo a sua direção. Durante esse tempo, você não deve conversar com ninguém, conferir seus e-mails ou dar uma olhada no Facebook.

A tranquilidade é uma disciplina como qualquer outra,

assim como fazer exercícios físicos ou ter hábitos de alimentação saudáveis. Você consegue se acalmar por tempo suficiente para ouvir a voz da sua consciência? Consegue entrar em sintonia com a orientação sutil da sua intuição? Saiba que, muitas vezes, é por meio delas que o Espírito Santo, que habita em você, vai lhe falar.

Não seria ótimo se Deus nos enviasse mensagens pessoais e diretas, escritas no céu ou em grandes outdoors? No entanto, não é assim que ele age. O Senhor se comunica conosco por meios mais sutis.

Quando temos bebês ou crianças pequenas em casa, é extremamente difícil encontrar momentos de silêncio e tranquilidade. Mesmo se este for o seu caso, não desanime. Você não precisa de uma hora e meia em silêncio na presença do Senhor para ouvir a sua voz; talvez só possa oferecer dez minutos. Então, dedique esses dez minutos ao seu Pai celestial. Se você deseja, de todo o coração, ouvir a voz de Deus, fique atenta, pois você a ouvirá.

Quando nos aproximamos de Jesus
sem pretensões, com um espírito carente e
pronto para ouvir, ele vem ao nosso encontro e
satisfaz as nossas necessidades.

—

*Catherine Marshall*

## *Dicas para mães ocupadas*

*Você está sentindo dificuldade para ouvir a Deus? Pois desacelere um pouco, abandone as distrações e escute com atenção. O Senhor tem coisas importantes a dizer, o que você tem a fazer é ficar em silêncio e ouvir. Os seus filhos dependem disso.*

— — — — — — — — —

*Comece e termine o seu dia com paz. Tente separar algum tempo, nem que sejam apenas alguns minutos, para buscar a presença do Senhor no início e no fim de cada dia.*[46]

*Live.FamilyEducation.com*

## * O tempo da mamãe *

*Quais mensagens você acha que o Senhor está tentando lhe enviar?*

# *Encontre a sua alegria*

*Como é feliz aquele (...) cuja esperança*
*está no SENHOR, no seu Deus.*
*Salmo 146.5*

Tudo bem, mãe, hoje foi um dia típico. Você cuidou da sua família, trabalhou até não aguentar mais, correu de um lado para o outro e mal teve tempo para si mesma. No entanto, você tirou algum tempo para sorrir ou dar uma gostosa gargalhada? Se não, então está na hora de desacelerar, respirar fundo e contar, novamente, todas as suas bênçãos!

Não levar a sua situação muito a sério é fundamental para que você aproveite melhor o seu dia. As crianças, pelo simples fato de serem crianças, são capazes de oferecer muitas situações divertidas para o seu proveito! Uma boa ideia para não esquecer os momentos divertidos do seu dia a dia é carregar um caderno para anotá-los. Escreva todas as palavras que seus filhos pronunciarem de maneira errada, como "pepeta", ou "cacholo". Escreva sobre aquela vez em que você arrumou seus quatro filhos pequenos para passar o dia no zoológico, e, já no carro, no meio do caminho, um deles avisou: "Mamãe, tô com vontade de fazer o número dois..."

Relaxe e aprenda a arte de ser feliz! Releve os pequenos aborrecimentos que, muitas vezes, alteram o seu humor. Quando fizer isso, você descobrirá que, quando se alegra diante de sua família e diante do Senhor, ele faz o mesmo.

Quando nós levamos a luz do sol para a vida de
outras pessoas, também sentimos o seu calor.
Quando compartilhamos um pouquinho
de alegria, ela se derrama sobre nós.

—

*Barbara Johnson*

## *Dicas para mães ocupadas*

*A felicidade é uma interpretação positiva do mundo e de seus acontecimentos. Para sermos felizes, nós precisamos nos treinar a enxergar o lado bom de todas as coisas, independentemente do que aconteça.*

— — — — — — — — —

*Encontre o humor na vida. Se você possui uma tendência a se interessar por notícias ruins e histórias tristes, não as compartilhe com seus filhos. Procure a alegria e ria quando a encontrar.*[47]

*iMOM.com*

## * O tempo da mamãe *

*Quais são os pequenos luxos da vida que fazem você feliz?*

# *Desvios na jornada*

*Mas bendito é o homem cuja confiança está no SENHOR, cuja confiança nele está. Ele será como uma árvore plantada junto às águas e que estende as suas raízes para o ribeiro. Ela não temerá quando chegar o calor, porque as suas folhas estão sempre verdes; não ficará ansiosa no ano da seca nem deixará de dar fruto.*

*Jeremias 17.7-8*

Quando a vida se desenrola de acordo com os nossos desejos, ou quando nos acontece algo bom, que não estávamos esperando, é fácil nos alegrarmos com os planos de Deus. Em momentos assim, nós recebemos as novidades de braços abertos. Quando somos promovidos no trabalho ou conseguimos comprar a casa dos nossos sonhos, é fácil louvar o nome do Senhor.

No entanto, há momentos em que as mudanças que precisamos enfrentar são dolorosas. Quando encontramos dificuldades no caminho que, de repente, sofre desvios e muda a direção que planejamos seguir, podemos ser levados a perguntar: "Por que isso está acontecendo? E por que logo agora?" A resposta, claro, é que Deus sabe todas as coisas — ele, simplesmente, não nos contou... ainda.

Você já passou por alguma experiência de mudança que a tenha deixado confusa, insegura ou de coração partido? Talvez a transferência para outra cidade, onde você não conhecia ninguém. Ou, quem sabe, aquela nova função no trabalho, que vai obrigá-la a refazer toda sua rede de contatos profissionais. O desconforto com esse tipo de situação pode levar a um sentimento profundo de que as coisas não estão exatamente como você imaginava que estariam neste momento de sua vida. Se este for o caso, você precisa fazer uma escolha: chorar e reclamar ou confiar que Deus sabe todas as coisas e está no controle — tudo o que você tem a fazer é consertar o que está errado em seu coração. Então, mãe, sem mais delongas, deixe a preocupação de lado e comece a mudar sua forma de pensar. Comece a fazer isso agora!

Quando é confrontada pelas adversidades, a mulher cristã conforta-se na certeza de que tudo o que acontece em sua vida está nas mãos de Deus.

—

*Vonette Bright*

## *Dicas para mães ocupadas*

*Se você está enfrentando dificuldades, não entre em pânico nem guarde tudo para você. Em vez de sofrer sozinha, compartilhe com o seu marido, com as suas amigas ou com o seu pastor o que você está sentindo — se necessário, até mesmo com um terapeuta. Quando enfrentamos algumas tempestades da vida, às vezes uma segunda, terceira, quarta ou até quinta opinião é bem-vinda.*

— — — — — — — — —

*Às vezes, nós precisamos conversar com alguém, desabafar ou simplesmente nos preocupar em voz alta por um segundo. Uma amiga sábia pode oferecer um ponto de vista valioso para a sua situação, ajudando-a a perceber quando, às vezes, você está fazendo tempestade em copo d'água.*[48]

*iMOM.com*

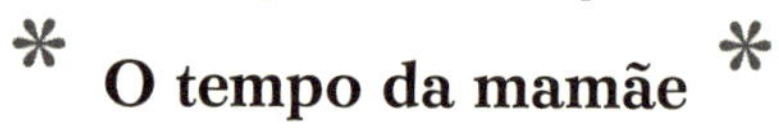



## * O tempo da mamãe *

*Como você lida com mudanças? O que você pode fazer, especificamente, para ajudar a sua família a enfrentar grandes mudanças na vida?*

# Palavras encorajadoras

*Esforço-me para que eles sejam fortalecidos em seu coração, estejam unidos em amor e alcancem toda a riqueza do pleno entendimento, a fim de conhecerem plenamente o mistério de Deus, a saber, Cristo.*

*Colossenses 2.2*

Cada membro da sua família precisa de palavras encorajadoras e, quem sabe, alguns tapinhas nas costas, de vez em quando. Você precisa das recompensas oferecidas por Deus a mães encorajadoras, que são uma fonte contínua de incentivo para as suas famílias.

Em sua carta aos efésios, Paulo escreveu: "Nenhuma palavra torpe saia da boca de vocês, mas apenas a que for útil para edificar os outros, conforme a necessidade, para que conceda graça aos que a ouvem" (4.29). Essa passagem nos lembra que, como cristãos, nós somos instruídos a escolher cuidadosamente as nossas palavras, a fim de edificar as pessoas com incentivos sinceros. E, como podemos edificar as pessoas? Comemorando, junto com elas, as suas vitórias e realizações. As crianças, de modo geral, são sedentas por elogios. Portanto, observe bons comportamentos, preste atenção ao esforço que elas dedicam a alguma coisa, mesmo que o resultado não seja o desejado — e, além disso, sempre tenha espaço na geladeira para pendurar mais um desenho feito por elas. É como diz o ditado: "Quando alguém faz algo bom, elogie — você deixará duas pessoas felizes."

Procure, hoje, ver o lado bom das pessoas. Então, celebre aquilo que descobrir. Quando fizer isso, você será uma fonte poderosa de encorajamento no seu canto do mundo — o cantinho que Deus separou só para você.

Não se esqueça de que uma única frase, proferida no momento certo, pode mudar completamente a perspectiva de vida de uma pessoa. Um pouco de encorajamento pode ser muito benéfico.

—

*Marie T. Freeman*

## *Dicas para mães ocupadas*

*O encorajamento é um ingrediente essencial para uma comunicação saudável entre pais e filhos. Certifique-se de que você encoraja os seus filhos demonstrando o seu amor, admiração e devoção — tente fazer isso muitas vezes ao longo do dia.*

— — — — — — — — —

*Incentivar os esforços das crianças estimula o seu aprendizado. E isso é ótimo! Quando uma criança cresce em um lar onde há pais amorosos e uma atmosfera incentivadora, o seu crescimento intelectual é desenvolvido.*[49]

*FocusontheFamily.com*

# * O tempo da mamãe *

*Quem poderia se beneficiar do seu incentivo? O que, especificamente, você poderia fazer para encorajar essas pessoas hoje?*

# *Caminhando com os sábios*

*Ouça conselhos e aceite instruções,*

*e acabará sendo sábio.*

*Provérbios 19.20*

Muito bem, mãe: aqui está uma maneira simples, mas bastante eficaz de fortalecer a sua fé: escolha seguir o exemplo de pessoas, cuja fé em Deus seja forte.

Quando imitamos mulheres de Deus, nós também nos aproximamos do Senhor. Você deve se cercar de pessoas que, com suas palavras e presença, ajudem a fazer de você uma mulher e uma mãe melhores. E, não apenas isso, você deve evitar ao máximo se aproximar de pessoas que a incentivem a ter pensamentos tolos e desnecessários.

Hoje, como um presente para você e para a sua família, selecione, entre os seus amigos e familiares, um mentor, alguém em cujo julgamento você confie. E, então, ouça com atenção os seus conselhos e esteja disposta a aceitá-los, mesmo que fazer isso seja difícil, doloroso. Considere o seu mentor como uma bênção de Deus para a sua vida. Agradeça ao Senhor por essa bênção e use-a com sabedoria e com frequência.

O mentor eficaz se esforça para
ajudar o homem ou a mulher a descobrir
aquilo que eles podem ser em Cristo e
depois cobra que eles se tornem,
de fato, essa pessoa.

—

*Howard Hendricks*

## *Dicas para mães ocupadas*

*Reflita sobre os mentores que tiveram um impacto positivo em sua vida. Pense, então, em como você pode ser uma influência positiva na vida dos seus filhos.*

— — — — — — — — —

*Pense em uma mãe que você admira. Pergunte a si mesma quais são as qualidades que você vê nela e que pode imitar hoje mesmo.*[50]

*iMOM.com*

— — — — — — — — —

*O bom mentor é aquela pessoa cuja companhia você aprecia, que tem mais experiência de vida do que você, que ficaria feliz em ajudá-la a vencer na vida e a amadurecer em áreas que a maioria de seus outros amigos, simplesmente, suporta no dia a dia.*[51]

*FocusontheFamily.com*

# O tempo da mamãe

*Quem são os amigos ou mentores em cujo julgamento você mais confia? Com que frequência você procura essas pessoas para se aconselhar?*

# *Deus descansou — e você deve fazer o mesmo*

*Lembra-te do dia de sábado, para santificá-lo.*

*Êxodo 20.8*

Quando Deus entregou os Dez Mandamentos a Moisés, ficou perfeitamente claro que o nosso Pai celestial desejava que nós santificássemos o sábado — um dia para adoração, contemplação, comunhão e descanso. No entanto, vivemos em um mundo em que os sete dias da semana são considerados iguais. Muitas vezes, até tratamos o domingo como um dia normal de trabalho.

Como a sua família trata o dia do Senhor? Talvez, depois que você tiver arrumado as crianças, separado as Bíblias e estiverem todos na porta, prontos, vocês nem se lembrem mais da santidade desse dia. Quando acaba o culto, você trata o domingo como qualquer outro dia da semana? Se você faz isso, então está na hora de refletir profundamente sobre as programações e prioridades da sua família.

Sempre que ignoramos os mandamentos do Senhor, nós pagamos um preço por isso. Portanto, se vocês tratam o domingo como um dia qualquer, chegou a hora de abandonar esse hábito. A partir de agora, quando o domingo chegar, não tente preencher todos os seus momentos com atividades. O propósito de Deus para o domingo não foi criar um dia para que nós fizéssemos tudo aquilo que não conseguimos realizar durante a semana. Dedique tempo para descansar de verdade, pois são ordens do Pai!

Deus não parou, simplesmente, o que estava fazendo; ele parou e desfrutou daquilo que havia criado. O que isso significa para nós? Nós precisamos parar para aproveitar a presença do Senhor, a sua criação e os frutos do nosso trabalho. O propósito do sábado é nos alegrarmos naquilo que Deus fez.

—

*Tim Keller*

## *Dicas para mães ocupadas*

*Como mãe, é você quem decide como a sua família passará o domingo. Um dia dedicado ao Senhor não é como os outros dias, e seu dever é guardá-lo, e não ignorá-lo.*

— — — — — — — — —

*Você não precisa fazer tudo aos domingos. O seu marido pode ajudá-la, permitindo, assim, que os dois tenham algum descanso nesse dia para meditar na Palavra e relaxar. Os seus filhos também podem ajudar, fazendo a parte deles (ou, até mesmo, não fazendo nenhuma bagunça por um diazinho só) e ajudando a cuidar dos irmãos mais novos.*[52]

*Icecreamdiary.blogspot.com*

## * O tempo da mamãe *

*

*De quanto tempo de sono você e*
*seus filhos precisam?*
*O que você pode fazer para garantir que todos*
*estejam tendo o descanso necessário?*

# *Os seus verdadeiros tesouros*

*Eu as abençoarei e abençoarei os lugares*
*em torno da minha colina. Na estação própria*
*farei descer chuva; haverá chuvas de bênçãos.*
*Ezequiel 34.26*

Nós, às vezes, precisamos ser lembradas do verdadeiro baú de tesouro que temos em nossas mãos — um baú cheio de joias, como vida, família, liberdade, amigos, talentos e bens materiais, para começar. Deus nos deu bênçãos que são, na verdade, simplesmente numerosas demais para serem contadas. A maior bênção de todas, no entanto — um tesouro inestimável, que é todo seu, se você quiser —, é o dom da salvação de Deus por meio do seu Filho Jesus.

Um hino antigo nos lembra que devemos ter consciência daquilo que Deus tem para nós: "Conte as suas bênçãos, conte cada uma delas. Você se surpreenderá com tudo o que o Senhor lhe concedeu." É difícil se preocupar com qualquer coisa quando estamos contando as nossas bênçãos. E as dádivas que recebemos do Senhor são multiplicadas quando nós as compartilhamos com outras pessoas.

Neste dia, agradeça a Deus pelas suas bênçãos e demonstre a sua gratidão compartilhando-as com a sua família, amigos e com o resto do mundo.

Será que nós ignoramos inumeráveis bênçãos
e fixamos os nossos olhos naquilo que consideramos
ser adversidades e perdas, pensando e falando sobre elas, a
ponto de preenchermos todo o nosso horizonte com isso e
acreditar que não somos abençoados?

—

*Hannah Whitall Smith*

## *Dicas para mães ocupadas*

*Dedique algum tempo para agradecer a Deus por suas bênçãos. Separe alguns momentos todos os dias, não apenas aos domingos, para louvar ao Senhor e dar graças.*

— — — — — — — — —

*Deus deseja abençoá-la abundante e eternamente. Quando confiamos completamente no Senhor e obedecemos à sua Palavra, nós somos abençoadas.*

— — — — — — — — —

*Não se esqueça de agradecer a Deus pelas suas bênçãos sobre você e sobre a sua família.*[53]

*FocusontheFamily.com*

# O tempo da mamãe

*Às vezes, as bênçãos de Deus são tantas,*
*que nós não as percebemos.*
*Quais bênçãos você tem ignorado ultimamente?*

# *A força do Senhor é perfeita*

*Mas ele me disse: "Minha graça é suficiente para você, pois o meu poder se aperfeiçoa na fraqueza."*

*2Coríntios 12.9*

De uma coisa você pode ter certeza: Deus é suficiente para satisfazer as suas necessidades. Ponto final.

As obrigações da maternidade podem, às vezes, parecer esmagadoras. Talvez você sinta como se estivesse apenas sobrevivendo aos dias, até a hora de deitar. Isso não é viver; é, simplesmente, existir. Lembre-se de que Deus sempre usa pessoas fracas para mostrar a sua força e o seu poder. O Senhor segurará a sua mão e caminhará com você e com a sua família, se você permitir. Portanto, mesmo que as suas circunstâncias sejam difíceis, confie no Pai.

O salmista escreveu: "O choro pode persistir uma noite, mas de manhã irrompe a alegria" (Salmo 30.5). Quando, porém, estamos sofrendo, essa manhã parece estar longe demais. Porém, ela não está. O Senhor promete estar "perto dos que têm o coração quebrantado" (Salmo 34.18). Quando enfrentamos dificuldades, devemos recorrer a ele.

Se você está desanimada, não exista, apenas. Escolha a força de Deus para operar em sua vida, de modo que você possa viver de verdade, hoje. O coração amoroso do Senhor é suficiente para enfrentar qualquer desafio — inclusive o seu.

A maior e mais importante lição que
a alma deve aprender é o fato de que Deus,
e somente ele, é suficiente para satisfazer todas
as suas necessidades. É essa lição que ele
procura nos ensinar sempre; essa é a
mais importante descoberta da nossa
vida cristã. Deus é suficiente!

—

*Hannah Whitall Smith*

## *Dicas para mães ocupadas*

*Quaisquer que sejam as suas necessidades, Deus é mais forte. E a sua força a capacitará para cumprir qualquer tarefa.*

— — — — — — — — —

*Pense, hoje, em como você pode depender da força do Senhor: tente começar por meio da oração, da adoração e do louvor.*

— — — — — — — — —

*Quanto mais coisas acumular em sua casa, mais coisas você terá de limpar, arrumar e organizar. Se a sua casa estiver explodindo de tantas coisas, talvez esteja na hora de organizar um bazar, ou fazer uma grande doação para instituições de caridade.*[54]

*Live.FamilyEducation.com*

## * O tempo da mamãe *

*Como você responde a Deus quando está se sentindo fraca? O que você pode fazer para se lembrar do poder e do amor do Senhor?*

# *A direção dos seus pensamentos*

*Finalmente, irmãos, tudo o que for verdadeiro, tudo o que for nobre, tudo o que for correto, tudo o que for puro, tudo o que for amável, tudo o que for de boa fama, se houver algo de excelente ou digno de louvor, pensem nessas coisas.*

*Filipenses 4.8*

Os pensamentos são incrivelmente poderosos. Aquilo em que pensamos tem o poder de nos edificar ou de nos derrubar. Os pensamentos têm o poder de nos encher de energia ou de nos esgotar completamente; de nos inspirar a fazer coisas grandes ou de nos convencer de que tais coisas são impossíveis.

Qual direção você escolherá para os seus pensamentos hoje?

Você obedecerá às palavras presentes em Filipenses 4.8, focando-os em tudo aquilo que é nobre, correto e digno de louvor? Ou permitirá que os seus pensamentos sejam sequestrados pela negatividade que parece dominar este mundo turbulento?

Você se sente assustada, irritada, entediada ou preocupada? Você está tão preocupada com os problemas deste dia a ponto de se esquecer de agradecer a Deus, pelo simples prazer de ver o sorriso no rosto do seu filho, ou até mesmo pela maior bênção de todas, que é o dom da Salvação? Você se sente amargurada ou pessimista? Se for o caso, Deus deseja tratar de você.

O Senhor deseja que você experimente alegria e abundância, mas ele não forçará isso — você precisa querer. Depende de você celebrar a vida que ele lhe deu, concentrando os seus pensamentos em tudo o que é "amável e de boa fama". A sua atitude afeta a sua família, especialmente os seus filhos. Eles têm sensores que captam qualquer sinal de humor negativo. Crie, então, o hábito de concentrar a sua mente nas bênçãos e não nas preocupações sobre as suas dificuldades.

A mente é como um relógio que funciona constantemente. Nós precisamos preenchê-la diariamente com bons pensamentos.

—

*Fulton J. Sheen*

## *Dicas para mães ocupadas*

*Ao proferir palavras de ações de graça e louvor, você honra ao Pai e protege o seu coração contra a apatia e a ingratidão.*

— — — — — — — — —

*Muitas mães se sentem decepcionadas quando os seus filhos não demonstram gentileza naturalmente ao interagir com outras pessoas, ou quando não se comportam bem diante delas, porém essas habilidades são aprendidas e desenvolvidas ao longo do tempo. Comece, portanto, hoje, ensinando os seus filhos a demonstrar gentileza com outras pessoas.*[55]

*iMOM.com*

## * O tempo da mamãe *

*De que maneira a sua atitude afeta a atitude dos seus filhos e vice-versa?*
*O que você pode fazer, de forma específica, para melhorar a atitude de todos em sua casa?*

# *Mensagens perigosas da mídia*

*Mantenham o pensamento nas coisas do alto,*
*e não nas coisas terrenas.*
*Colossenses 3.2*

A mídia trabalha dia e noite para tentar reorganizar as prioridades da sua família, de uma maneira que não é saudável para ela. Frequentemente, a mídia nos ensina que a aparência física é muito importante, que os bens materiais devem ser adquiridos a qualquer custo e que o mundo funciona de forma independente das leis de Deus. Mas, adivinhe? Essas mensagens são falsas.

Responda, então, à seguinte pergunta, mãe: Você controlará

aquilo que aparece na tela da sua televisão, ou os seus filhos serão controlados por aquilo que assistem? Se estiver disposta a assumir completamente o controle das imagens permitidas dentro do seu lar, você estará fazendo um enorme favor à sua família.

Portanto, no dia de hoje, sem mais delongas, assuma o controle da televisão, do computador e dos celulares da sua família. Você ficará feliz por ter feito isso — em alguns anos, seus filhos também ficarão.

Embora seja fácil falar sobre discernimento
em relação à mídia, é bastante complicado
escrever sobre isso. Escrever um acordo sobre os
limites do uso da mídia como entretenimento e
colocá-lo em um lugar de destaque, pode
servir como um lembrete constante da
importância dessa questão.

—

*James Dobson*

## *Dicas para mães ocupadas*

*Monitore as imagens assistidas por seus filhos na televisão, na internet e em outros veículos de mídia. Você é a responsável por eles e, como tal, deve decidir o que é apropriado para cada um. Essa responsabilidade é sua e de mais ninguém.*

— — — — — — — — —

*As mães de hoje em dia possuem muitas tarefas que exigem seu tempo — limpar, cozinhar, pagar as contas, lavar as roupas, levar as crianças para todos os lugares... E a lista continua. Há, no entanto, outra função crítica que implora por atenção em muitos lares: a de guardiã do entretenimento da família.*[56]

*FocusontheFamily.com*

# * O tempo da mamãe *

*Especifique quais escolhas de entretenimento midiático são boas para sua família e quais são prejudiciais.*
*Faça uma lista e converse com os seus filhos sobre isso.*

# *Vencendo a preocupação*

*Não se perturbe o coração de vocês.*
*Creiam em Deus; creiam também em mim.*
*João 14.1*

Se você é como a maioria das mães, então este é apenas um fato da vida: de vez em quando você se preocupa. Você se preocupa com os seus filhos, com a sua saúde, com as finanças, com a segurança de sua casa, com o futuro e com outros incontáveis desafios da vida, alguns grandes, outros pequenos. Porém, qual é o melhor lugar para levar as suas preocupações? À presença de Deus. Guardá-las para si mesma é inútil, como você já deve ter percebido. Entregue as suas preocupações ao Senhor, assim como os seus medos e as suas dores.

Barbara Johnson observou corretamente: "A preocupação

é o processo sem sentido de adicionar, às oportunidades do futuro, as sobras dos problemas do presente." Portanto, se você deseja aproveitar ao máximo o dia de hoje (e todos os dias que se seguirem), entregue as suas preocupações a um poder superior, maior do que você — gaste a sua energia e o seu precioso tempo para tentar resolver aqueles problemas que estão ao seu alcance, confiando em Deus para fazer todo o resto.

O dia de hoje é meu. O amanhã não é da minha conta. Se eu tentar enxergar ansiosamente aquilo que me aguarda no futuro, eu forçarei os meus olhos espirituais de tal maneira que não serei capaz de ver com clareza aquilo que preciso fazer agora.

—

*Elisabeth Elliot*

## *Dicas para mães ocupadas*

**Categorize as suas preocupações.** *Que tal dividir, cuidadosamente, as suas áreas de preocupação em duas categorias: as coisas que você pode controlar e aquelas que você não pode controlar. Depois que fizer isso, dedique o seu tempo para resolver aquilo que está ao seu alcance e confie todo o resto ao Senhor.*

— — — — — — — — —

*A maternidade pode ser algo muito divertido. Mas, de vez em quando, nós encontramos mães que fazem a nossa cabeça girar. São aquelas mães que não sabem a hora de parar. Essas mulheres, muitas vezes, são inseguras em relação a si mesmas e, por isso mesmo, nos incomodam tanto.*[57]

*Life.FamilyEducation.com*

## O tempo da mamãe

*Faça uma lista das coisas que causam preocupação, mas que estão fora do seu controle. Depois, peça ajuda a Deus para entregá-las a ele.*

# *A sua jornada com Deus*

*Pois é Deus quem efetua em vocês tanto o querer quanto o realizar, de acordo com a boa vontade dele.*

*Filipenses 2.13*

A vida é mais bem vivida com propósito do que por acidente. Quanto mais cedo nós descobrimos o propósito de Deus para a nossa vida, melhor. No entanto, os propósitos dele nem sempre são claros para nós. Às vezes, as nossas responsabilidades para com os nossos filhos, nos deixam com pouco tempo para discernir a vontade de Deus para nós mesmas. Em outras ocasiões, lutamos bastante com o Senhor em um esforço vão para alcançar o sucesso e a felicidade por nossos próprios meios, e não pelos dele.

Sempre que lutamos contra os planos de Deus, nós sofremos.

Quando resistimos ao chamado do Senhor, os nossos esforços produzem poucos frutos. A nossa melhor estratégia, portanto, é buscar a sabedoria de Deus e seguir a sua direção. Quando fazemos isso, somos abençoadas.

Quando se encontrar em uma encruzilhada da vida — e estiver se perguntando para onde deve ir, ou o que fazer —, você deve buscar a Deus por meio da oração. Ele, então, se revelará a você da maneira dele e no momento que ele escolher. Ele tem um plano definido para a sua vida!

Uma coisa é certa, mesmo que todo o resto não seja: Deus desejou que você fosse mãe. Portanto, você pode se alegrar por estar cumprindo esse plano hoje.

Nós experimentamos grande alívio e satisfação quando buscamos as prioridades de Deus para cada fase de nossa vida, discernindo aquilo que é "melhor" em meio a muitas boas oportunidades e empregando as nossas melhores energias nisso.

—

*Beth Moore*

## *Dicas para mães ocupadas*

*Deus tem um plano maravilhoso para a sua vida. E a hora de começar a buscar esse plano — e vivê-lo — é agora. (Tu me farás conhecer a vereda da vida, a alegria plena da tua presença, eterno prazer à tua direita — Salmo 16.11).*

— — — — — — — — —

*Os planos de Deus se desenvolvem a cada dia. Se você abrir o seu coração e os seus olhos, ele revelará os planos dele. Deus tem grandes coisas reservadas para você; porém, você talvez precise aprender algumas lições até estar totalmente preparada para cumprir a vontade e os propósitos dele.*

# O tempo da mamãe

*Quais são, em sua opinião, as maiores alegrias de ser mãe?*

# Digna de ser amada

*Porque Deus tanto amou o mundo que deu o seu Filho unigênito, para que todo o que nele crer não pereça, mas tenha a vida eterna.*

*João 3.16*

Como mãe, você conhece o profundo amor que sente por seus filhos em seu coração. Bem, multiplique isso por mil e, então, talvez você consiga enxergar uma pequena amostra do amor infinito de Deus por você.

Você é digna de ser amada! Você não precisa corresponder a um determinado padrão a fim de receber esse amor — ele é um dom, feito possível por meio de Jesus Cristo. Você recebeu a justiça de Jesus! Além disso, também não há nada que você possa fazer para perder o seu valor. Esse amor é incondicional!

Muitas coisas, no entanto, podem nos fazer sentir como se não tivéssemos nenhum valor — más escolhas feitas no passado, ou quando sofremos traições ou maus-tratos, quando o nosso salário é baixo ou, até mesmo, quando ouvimos de alguém que não temos valor. São mentiras do Diabo para nos manter afastadas do amor e da alegria que encontramos em Cristo. E essas mentiras são bastante eficazes, não é mesmo?

Quando você aceita o amor de Deus, a sua vida é completamente transformada. A partir daí, você se sente diferente em relação a si mesma, à sua família, aos seus amigos e ao mundo em geral. Hoje, quando você se olhar no espelho, tente se enxergar de uma nova maneira: como uma mulher que foi feita à imagem de Deus. Uma mulher preciosa e valiosa, digna de ser amada.

Aceitar o amor de Deus, em vez de tentar merecê-lo, parecia para mim algo presunçoso e arrogante, quando na verdade era o meu orgulho que estava me fazendo acreditar que eu poderia merecer o amor e o perdão de Deus, pelos meus próprios méritos.

—

*Lisa Whelchel*

## *Dicas para mães ocupadas*

*Lembre-se de que o amor de Deus por você é grande demais para ser compreendido pela sua mente. Porém você, com certeza, pode senti-lo em seu coração.*

— — — — — — — — —

*Lembre-se também de que Deus não ama apenas os seus filhos; ele ama você também. E graças a esse amor, pode ter certeza de que, assim como os seus filhos, você também foi criada de maneira assombrosa e é infinitamente abençoada.*

— — — — — — — — —

*Lembre-se do quanto você foi amada. Deus mostrou o seu amor a cada um de nós de inúmeras formas. Seria muito pedir que nós o compartilhássemos com outras pessoas?*[58]

*iMOM.com*

## * O tempo da mamãe *

*O que a promessa presente em João 3.16 significa para você? Escreva a sua resposta e converse com os seus filhos sobre ela.*

# *Obrigada, mãe*

*Seus filhos se levantam e a elogiam.*

*Provérbios 31.28*

Todo mundo precisa ouvir um agradecimento sincero de vez em quando. Ele funciona como uma afirmação de que aquilo que estamos fazendo é, realmente, importante. Ele também nos fortalece a continuar, mesmo quando não queremos fazer isso. Nós concluímos este livro com uma mensagem de agradecimento a você, mãe ocupada, que nem sempre tem tudo organizado, mas que confia naquele que cuida de todas as coisas:

Querida mãe,

Obrigada pelo seu amor, cuidado, trabalho duro, disciplina, sabedoria, apoio e fé. Obrigada por ser uma mãe preocupada conosco e um ótimo exemplo para todos nós. Obrigada por dar vida e por ensinar a viver. Obrigada por ser paciente, mesmo quando está cansada ou quando se sente frustrada — ou ambos. Obrigada por trocar fraldas, secar lágrimas e ler histórias antes de dormir. Obrigada por ser uma mulher segundo o coração de Deus, digna da nossa admiração e do nosso amor.

Você merece um sorriso hoje, mãe. E merece muito mais do que isso; você merece a gratidão eterna da nossa família. Você também merece o amor de Deus, a sua graça e a sua paz. Que você desfrute das bênçãos do Senhor sempre e que você nunca, jamais, se esqueça do quanto nós a amamos.

Assinado,
A sua família, que ama você

A mãe é, e deve mesmo ser — quer ela saiba disso ou não —, a maior e mais importante professora de seus filhos.

—

*Hannah Whitall Smith*

## *Dicas para mães ocupadas*

*Certifique-se de que a base da sua família seja a rocha que é a Palavra de Deus. Mãe, você é, sem dúvida, a professora mais importante dos seus filhos. Certifique-se de que o currículo da sua família inclua muitas lições bíblicas.*

— — — — — — — — —

*Quando você deposita a sua fé em Deus, a vida se transforma em uma grande aventura, fortalecida pelo seu poder. Boa sorte, mãe, nos próximos estágios da sua grande aventura!*

## O tempo da mamãe

*Faça uma pequena lista com tudo aquilo que você mais ama em seus filhos. Depois, agradeça a cada um deles, individualmente, pela alegria e pelo amor que eles proporcionam ao seu coração.*

*Habite ricamente em vocês a palavra de Cristo;*

*ensinem e aconselhem-se uns aos outros com*

*toda a sabedoria, e cantem salmos, hinos e cânticos*

*espirituais com gratidão a Deus em seu coração.*

*Tudo o que fizerem, seja em palavra ou em ação,*

*façam-no em nome do Senhor Jesus, dando*

*por meio dele graças a Deus Pai.*

—

*Colossenses 3.16-17*

## *Sites e blogs citados neste livro*

247Moms.com
FamilyEducation.com
FocusontheFamily.com
GoodHousekeeping.com
iMOM.com
JustMommies.com
Live.FamilyEducation.com
Parenting.com
SheKnows.com
TheOnlineMom.com
WebMD.com

## *Para encontrar outras mães blogueiras, confira os seguintes sites:*

MommyBloggerDirectory.com
CircleOfMoms.com
TopMommyBlogs.com
MomBloggersClub.com

## Notas finais

1- How to Love Your Kids Without Losing Your Mind (Como amar seus filhos sem enlouquecer) © 2011 iMOM, all rights reserved, http://www.imom.com/mom-life/encouragement/how-to-loveyour-kids-without-losing-your-mind/ (Family First, All Pro Dad, iMOM, and Family Minute with Mark Merrill are registered trademarks).
2- Gina Costa, 15 Time-Management Tips (15 dicas de gerenciamento de tempo), American Baby, http://www.parents.com/parenting/moms/healthy-mom/time-management-tips/.
3- Sarah Mahoney, Busy Moms — Slow Down and Feel the Joy (Mães ocupadas — Desacelere e sinta a alegria), http://www.parents.com/parenting/moms/healthy-mom/busy-moms-slow-down-and-feelthe-joy/?page=3.
4- Lorie Marrero, 11 Scheduling Secrets of Busy Moms (11 segredos de organização das mães ocupadas), http://www.goodhousekeeping.com/family/scheduling-secrets-busy-moms-childrenactivities#slide-8.
5- Stephanie Gates, Moms Who Change the World, Part Four (Mães que mudam o mundo, parte quatro), http://www.mops.org/moms-who-change-the-world-part-four.
6- Lorie Marrero, 11 Scheduling Secrets of Busy Moms (11 segredos de organização das mães ocupadas), http://www.goodhousekeeping.com/family/scheduling-secrets-busy-moms-childrenactivities#slide-4.
7- How to Change Your Negative Thinking (Como mudar os seus pensamentos negativos), © 2011 iMOM, all rights reserved, http://www.imom.com/parenting/toddlers/relationships/family/how-tochange-your-negative-thinking/ (Family First, All Pro Dad, iMOM, and Family Minute with Mark Merrill are registered trademarks).
8- Proclaim Your Love of Life (Proclame o seu amor pela vida), http://life.familyeducation.com/organization/stress/56282.html.
9- Walt Larimore, MD, The Attributes of Great Parents (As características dos bons pais), com a permissão de Walt Larimore, MD, com Stephen e Amanda Sorenson,
God's Design for the Highly Healthy Child (O propósito de Deus para filhos saudáveis) (Highly Healthy Series), http://www.imom.com/mom-life/encouragement/the-attributes-of-great-parents/.
10- Steph Fink, In the Space Between Perfect and Me (No espaço entre o perfeito e eu), http://247moms.com/2013/10/in-the-space-between-perfect-and-me/.
11- Gina Costa, 15 Time-Management Tips (15 dicas de gerenciamento de

tempo), American Baby, http://www.parents.com/parenting/moms/healthy-mom/time-management-tips/.

12- Michelle LaRowe, Making Mornings Manageable (Tornando as manhãs administráveis), http://www.focusonthefamily.com/parenting/parenting_roles/working-moms-organizingyour-day/making-mornings-manageable.aspx.

13- Erin Dower, 12 Real Time-Savers for Busy Moms (12 verdadeiros economizadores de tempo para mães ocupadas), http://life.familyeducation.com/time-management/family-routines/73090.html.

14- Julie Ferwerda, Should we go? vs. Why shouldn't we go? (Nós deveríamos ir? X Por que não deveríamos ir?), http://247moms.com/2013/04/should-we-go-vs-why-shouldnt-we-go/.

15- Stress: Reducing Your Stress and Anger (Estresse: Reduzindo o seu estresse e a sua raiva), © 2011 iMOM, all rights reserved, http://www.imom.com/mom-life/wellness/stress-reducing-your-stress-andanger/(Family First, All Pro Dad, iMOM, and Family Minute with Mark Merrill are registered trademarks).

16- How to Get Out of the House on Time with Kids (Como sair de casa na hora certa com seus filhos), http://www.aupairjobs.com, in http://247moms.com/2013/07/how-to-get-out-of-the-house-on-timewith-kids/.

17- Tracey Eyster, Guest iSpecialist, Your Attitude is a Choice (A sua atitude é uma escolha), http://www.imom.com/mom-life/encouragement/your-attitude-is-a-choice/.

18- 9 Ways to Be Worthy of Imitation (9 maneiras de ser digna de imitação), © 2013 iMOM, all rights reserved, http://www.imom.com/mom-life/encouragement/9-ways-to-be-worthy-ofimitation/(Family First, All Pro Dad, iMOM, and Family Minute with Mark Merrill are registered trademarks).

19- Gina Shaw, 9 Energy Tips for Moms (9 dicas de energia para mães), http://www.webmd.com/parenting/family-health-12/energy-tips-moms.

20- Ziona Hochbaum, 10 Stress-busting Tips for Busy Moms (10 dicas antiestresse para mães ocupadas), http://www.parenting.com/article/10-stress-busting-tips-for-busy-moms.

21- Michelle LaRowe, Working Moms: Organizing Your Day (Mães que trabalham fora: Organizando o seu dia), http://www.focusonthefamily.com/parenting/parenting_roles/working-moms-organizingyour-day.aspx.

22- Sue Clashower, Monday Motivation: God Has a Special Plan for Someone Like You (Motivação da segunda-feira: Deus tem um plano especial para alguém como você), http://busymomsconnect.com/monday-motivation-

discover-godsplan/.
23- Time: 8 Ways to Simplify Your Life (Tempo: 8 maneiras de simplificar a sua vida), © 2011 iMOM, all rights reserved, http://www.imom.com/mom-life/mom-management/time-8-ways-tosimplify-your-life/ (Family First, All Pro Dad, iMOM, and Family Minute with Mark Merrill are registered trademarks).
24- Kori Ellis, 10 Sanity and Time-saving Tips for Moms on the Go (10 dicas de economia de tempo e sanidade para mães atarefadas), http://www.sheknows.com/parenting/articles/967891/10-sanity-and-time-saving-tips-formoms-on-the-go.
25- 30 Day Mom Challenge (O desafio de 30 dias para mães), http://www.imom.com/pages/30-day-momchallenge/.
26- Gina Costa, 15 Time-Management Tips (15 dicas de gerenciamento de tempo), American Baby, http://www.parents.com/parenting/moms/healthy-mom/time-management-tips/.
27- Patti Teel, Return to the Spirit of Mothers Day (Retorno ao espírito do Dia das mães), http://www.justmommies.com/articles/spirit-of-mothers-day.shtml.
28- Lorie Marrero, 11 Scheduling Secrets of Busy Moms (11 segredos de organização das mães ocupadas), http://www.goodhousekeeping.com/family/scheduling-secrets-busy-moms-childrenactivities#slide-10.
29- Michelle LaRowe, Working Moms: Organizing Your Day (Mães que trabalham fora: Organizando o seu dia), http://www.focusonthefamily.com/parenting/parenting_roles/working-moms-organizingyour-day.aspx.
30- Mark Holmen, Passing on Faith Requires Intentionality (Passar a fé aos seus filhos exige intenção) adaptado de Faith Begins at Home and Faith Begins @ Home Dad (Regal, 2007, 2010), todos os direitos reservados, usado com permissão, http://www.focusonthefamily.com/parenting/spiritual_growth_for_kids/faith-at-home/passing-on-faith-requiresintentionality.aspx.
31- Kori Ellis, Time Savers for Busy Moms (Economizadores de tempo para mães ocupadas), http://www.sheknows.com/parenting/articles/967891/10-sanity-and-time-saving-tips-for-moms-on-thego.
32- Lori Radun, 5 Ways to Zap 'Mommy Guilt' (5 maneiras de acabar com a "culpa materna") http://www.justmommies.com/family-life/just-for-moms/5-ways-to-zap-mommy-guilt.
33- Short and Sweet Family Fun Night (Noite de diversão da família), © 2011 iMOM, all rights reserved, http://www.imom.com/mom-life/family-fun/short-and-sweet-family-funnight/(Family First, All Pro Dad, iMOM, and Family Minute with Mark Merrill are registered trademarks).
34- 15 Things to Do When You Feel Overwhelmed (15 coisas para fazer

quando você se sentir sobrecarregada), © 2011 iMOM, all rights reserved, http://www.imom.com/mom-life/encouragement/15-things-to-dowhen-you-feel-overwhelmed/ (Family First, All Pro Dad, iMOM, and Family Minute with Mark Merrill are registered trademarks).

35- Fred Hartley, 5 Building Blocks to 'I-Like-You' Families (5 passos para construir famílias afetuosas), usado com permissão de Hartley's Parenting at Its Best! How to Raise Children with a Passion for Life!, http://www.imom.com/parenting/tikes/relationships/family/5-building-blocks-to-i-like-you-families/.

36- The Working Mom Juggle: How to Make Time for Your Kids Without Dropping the Ball (O jogo de cintura da mãe que trabalha fora: Como ter tempo para os filhos sem comprometer seu emprego), http://www.justmommies.com/family-life/just-for-moms/the-working-mom-juggle-how-to-make-time-for-your-kids-without-droppingthe? slide=2.

37- 10 Stress-Busting Tips from Moms Like You (10 dicas para acabar o estresse de mães como você), http://www.bettermommies.com/10-Stress-Busting-Tips-from-Moms-Like-You_ad-id!81.ks.

38- Gina Shaw, 9 Energy Tips for Moms (9 dicas de energia para mães), http://www.webmd.com/parenting/family-health-12/energy-tips-moms?page=2.

39- Kori Ellis, Time Savers for Busy Moms (Economizadores de tempo para mães ocupadas), http://www.sheknows.com/parenting/articles/967891/10-sanity-and-time-saving-tips-for-moms-on-the-go.

40- 4 Ways to Show Yourself Grace (4 maneiras para ter compaixão de si mesma), © 2012 iMOM, all rights reserved, http://www.imom.com/mom-life/encouragement/4-ways-to-show-yourself-grace/(Family First, All Pro Dad, iMOM, and Family Minute with Mark Merrill are registered trademarks).

41- Amy Seed, When Things Go Wrong (Quando as coisas não dão certo), July 17, 2013, https://community.focusonthefamily.com/b/boundless/archive/2013/07/17/when-things-gowrong.aspx.

42- Feed a Passion (Alimente uma paixão), http://life.familyeducation.com/organization/stress/56267.html.

43- Gina Costa, 15 Time-Management Tips (15 dicas de gerenciamento de tempo), American Baby, http://www.parents.com/parenting/moms/healthy-mom/time-management-tips/.

44- 6 Ways to Be a Joyful Mom (6 maneiras para ser uma mãe alegre), © 2012 iMOM, all rights reserved, http://www.imom.com/mom-life/encouragement/6-ways-to-be-a-joyful-mom/(Family First, All Pro Dad, iMOM, and Family Minute with Mark Merrill are registered trademarks).

45- 10 Organization Tips for Busy Mom (10 dicas de organização para

mães ocupadas), http://www.justmommies.com/familylife/home-organization/10-organization-tips-for-busy-mom.
46- Erin Dower, 10 Stress-Busting Tips from Moms Like You (10 dicas para acabar o estresse de mães como você), http://life.familyeducation.com/slideshow/womens-health/69774.html.
47- 6 Ways to Be a Joyful Mom (6 maneiras para ser uma mãe alegre), © 2012 iMOM, all rights reserved, http://www.imom.com/mom-life/encouragement/6-ways-to-be-a-joyful-mom/(Family First, All Pro Dad, iMOM, and Family Minute with Mark Merrill are registered trademarks).
48- 15 Things to Do When You Feel Overwhelmed (15 coisas para fazer quando você se sentir sobrecarregada), © 2011 iMOM, all rights reserved, http://www.imom.com/mom-life/encouragement/15-things-to-dowhen-you-feel-overwhelmed/ (Family First, All Pro Dad, iMOM, and Family Minute with Mark Merrill are registered trademarks).
49- Cheri Fuller, Boost Learning Power (Impulsionando sua aprendizagem), uma adaptação do Handbook on Choosing Your Child's Education (Manual para escolher sobre a educação do seu filho), livro da Focus on the Family (Tyndale House Publishers, 2007), todos os direitos reservados, direitos autorais internacionais protegidos, usado com permissão, http://www.focusonthefamily.com/parenting/schooling/equip_ kids_for_learning/boost_learning_power.aspx.
50- 30 Day Mom Challenge (O desafio de 30 dias para mães), http://www.imom.com/pages/30-day-momchallenge/.
51- Bobb Biehl, What to Look for in a Mentor (O que procurar em um mentor), de Biehl's Mentoring: How to Find a Mentor and How to Become One (Orientação de Biehl: Como encontrar um mentor e como se tornar um) (Aylen Publishing, 2005), todos os direitos reservados, direitos autorais internacionais protegidos, usado com permissão, http://www.focusonthefamily.com/marriage/strengthening_your_marriage/mentoring_101/what_to_look_for_in_a_mentor.aspx.
52- Ice Cream, Can Moms Keep the Sabbath Day Holy? (As mães são capazes de guardar o Sábado?), http://icecreamdiary.blogspot.com/2008/04/can-moms-keep-sabbath-day-holy.html.
53- Mark Holmen, Pray with Your Children (Ore com seus filhos), adaptado de Faith Begins at Home (A fé começa em casa), (Regal, 2007), todos os direitos reservados, usado com permissão, http://www.focusonthefamily.com/parenting/spiritual_growth_for_kids/faith-at-home/pray-with-your-children.aspx.
54- 12 Real Time-Savers for Busy Moms (12 economizadores de tempo para mães ocupadas), http://life.familyeducation.com/timemanagement/family-

routines/73090.html?page=10.
55- Attitudes: Sharing a Good Attitude (Atitudes: Compartilhando uma boa atitude), Random Acts of Kindness Foundation, © 2007 iMOM, all rights reserved, http://www.imom.com/parenting/teens/relationships/social/attitudes-sharing-a-good-attitude/.
56- Rhonda Handlon, The Family Media Guardian (O guardião de mídia da família), http://www.focusonthefamily.com/parenting/protecting_your_family/the-family-mediaguardian.aspx.
57- Dealing with Other Mothers (Lidando com outras mães), http://life.familyeducation.com/mothers/parenting/57108.html.
58- 4 Ways to Love the Difficult People in Your Life (4 maneiras de amar as pessoas difíceis da sua vida), © 2012 iMOM, all rights reserved, http://www.imom.com/mom-life/encouragement/4-ways-to-lovethe-difficult-people-in-your-life/ (Family First, All Pro Dad, iMOM, and Family Minute with Mark Merrill are registered trademarks).